생태시학의 변주

생태시학의 변주

석연경 시평집

연경출판사

들어가는 말

　시詩는 인간과 세계에 어떤 역할을 하고 있는가. 시인은 우주만물을 대함에 있어 일반인보다 특별하고 예민한 더듬이를 타고난 사람이다. 시인은 다양한 각도에서 세계를 보고 느끼며 상상하고 생각하여 이 내용을 적절한 시적 형식으로 표현한다. 시의 내용과 형식은 다른 것이 아니다. 시의 형식 또한 내용이다. 시는 어떤 형식을 취하더라도 메시지를 전달하고 있다. 한 편의 시 형식은 그 시의 의미를 가장 적절한 방식으로 표현하는 것이므로 시의 형식은 시의 의미 자체이다.

　독자는 시인이 펼쳐놓은 현실과 이상의 시세계를 만나면서 미적 세계를 항해한다. 시에는 익숙한 세계가 펼쳐지기도 하고 현실과 전혀 다른 낯선 세계가 펼쳐지기도 한다. 시인은 현실을 극사실적으로 표현하기도 하고 환상적으로 표현하기도 하며 상징적으로 표현하기도 한다. 시인의 상상력은 시가 예술임을 입증하며 미학적으로 세계를 형상화시킨다. 독자는 시에서 미적 체험을 하고 현실과 이상을 새롭게 경험한다.

　시인은 시 속에 의도적으로 다의성을 배치하기도 한다. 표면적으로 드러내는 의미와 숨겨진 의미를 예술적인 계산 하에 효과적으로 배치하여 시가 가지고 있는 의미의 깊이와 폭을 독자가 체험하도록 장치해둔다. 즉 사실적으로 표현된 시 속에 오히려 환상성이 들어있을 수 있고, 환상적으로 표현한 시가 사실은 현실을 아주 적나라하면서도 강렬하게 드러내기도 한다. 시인의 시세계는 다양하게 변주하며 독자에게 예술의 바다를 열어준다.

뿐만 아니라 시를 읽는 독자도 감상과 해석의 의미 파장을 다양하게 변주해간다. 독자는 시인이 장치해둔 의미의 파장을 전혀 감지하지 못 할 수도 있다. 오히려 시인의 의도는 파악 못하고 독자가 다른 의미 파장을 생성시키며 읽어내기도 한다. 시인은 하나를 말했는데 독자가 오히려 시인의 의도를 넘어 다른 각도에서 창의적으로 해석할 수도 있다. 시가 가진 특성 중 하나인 다의성은 예술적으로 더 다양한 열림의 의미 체계를 생성하고 독자에게 세계를 바라보는 시각을 확장시켜주는 역할을 한다. 시 자체가 가지고 있는 변주성과 독자의 변주성이 절묘하게 어우러져 미학적이고 예술적인 시가 매순간 탄생되는 것이다.

그러나 어떤 방식으로 시가 표현되었든지 시인은 우주만물에 대한 사랑을 탐구하고 해석하는 사람이다. 이것은 시인의 운명이다. 요컨대 시의 본질은 사랑에 있다. 시는 자연과 인간과 우주만물에 대한 생태적인 사랑으로부터 발화된다. 시는 우주 모든 존재에 특별한 시적 관심과 관찰의 촉각을 세워 사랑을 하고 그 결과를 예술적으로 표현한다.

시인은 일반인보다 현상에 더 깊숙이 들어가 다양한 스펙트럼으로 섬세하면서도 강렬하게 파장을 느낀다. 슬퍼하고 아파하고 원망하고 안타까워하고 절규하고 기뻐하고 찬미하고 비판하고 원하고 갈망하고 전망하고 희망하고 사랑하는 등 인간이 가지고 있는 모든 것을 표현한다. 뿐만 아니라 삶과 죽음의 양상을 뛰어넘고 이 현상세계와 다른 차원의 세계까지 넘나들며 삶을 노래하고 죽음을 노래하고 미래를 노래한다.

시가 우주만물을 표현하는 방식은 다양하다. 거칠거나 부드럽게, 달콤하거나 쓰게, 짜거나 맵게, 무겁거나 가볍게, 황홀하거나 묵묵하게 등 시인의 상상력과 표현 방법의 진폭은 하늘의 별만큼이나 많을지도 모른다. 그러나 시인의 깊숙한 곳에서 시의 의미와 표현을 포괄적으로 살펴보면 실존하는 우주만물 즉 현실을 생태적으로 사랑하고 생태적인 세계를 꿈꾸는 시인의 커다란 눈이 보인다.

우주만물을 사랑하는 시인의 표현방식이 다양한 까닭은 기본적으로 시인의 경험과 현재 여건, 그리고 미래를 꿈꾸는 진폭이 다르기 때문이다. 현실세계의 비생태적인 상황은 인간의 과도하거나 그릇된 욕망에서 비롯된다. 욕망으로 파괴되는 자연, 욕망을 채우기 위한 거짓 사랑, 욕망으로 채워가는 자본 등 세계를 위협하고 인간을 위협하는 상황을 인간 스스로가 만들어가고 있다. 욕망의 소유욕, 욕망의 폭력성, 욕망의 비인간성은 생태적 부메랑으로 결국 인간에게 되돌아온다.

시는 비생태적인 상황을 묘사하고 진정한 생태적 삶을 꿈꾼다. 인간이 파괴한 자연을 적나라하게 표현하는 시, 인간이 인간을 파괴한 상황을 표현한 시, 자본주의의 모순과 병폐를 고발한 시, 생태적 인드라망을 보여주면서 환경을 비생태적으로 만들어온 인간에게 경각심을 일깨워주는 시도 있다. 독자는 시에 나타나는 생태 의식의 다양한 변주를 보면서 생태 위기의 심각성을 알고 조화로운 세계의 이치를 깨달아서 평화로운 세계를 추구할 것이다.

'우주의 이치를 보시오, 자연이 무엇을 꿈꾸는지 보시오. 인간은 인간으로 살아야함을 아시오. 아름답고 평화롭게 공생하는 마래를 꿈꾸시오.' 생태 의식이 나타나 있는 시는 우리에게 이렇게 속삭인다. 시에는 철학, 심리, 과학, 사회, 정치, 역사, 문화, 미술, 음악 등 인문학과 과학을 포괄적으로 품고 있는 종합 예술이 들어있다. 시는 이런 모든 것들을 언어 예술로 표현하여 우주의 운행 원리와 인간의 삶과 인간의 미래를 전망한다. 특히 시는 생태 위기에 있는 세계를 미적언어로 표현하여 인간이 인간을 진실하게 사랑하고 세계를 진심으로 사랑하는 마음을 가지도록 견인한다. 뿐만 아니라 변화된 마음을 표현하고 행동하도록 유도하여 생태적 삶을 살도록 도와 세계를 생태적으로 변화시킨다. 그래서 시는 미적이면서도 효용 가치가 있다.

시적이라는 것은 생태적이란 말과 일맥상통한다. 세계와 자아를 동일시하는 서정시인의 생태적 경향을 독자는 경험하고 삶의 태도를 바꿀 수도 있다. 이러한 측면에서 이 책에서는 생태의식이 드러나는 시를 살펴본다. 생태의식이 어떤 형태로 미학적 변주를 하는지 시의 면면을 살펴본다.

제1부 '허상과 욕망, 생태계의 끌림과 홀림'에서는 자연현상을 그대로 보여 주면서 생태에 대한 바른 인식을 하도록 유도하는 시를 평한다. 뿐만 아니라 비생태적인 현실을 비판하는 시를 평한다.

제2부 '삶과 죽음을 바라보는 생태적 시선'은 죽음을 인식한 인간이 유한한 삶에서 무엇을 욕망하고 어떤 삶을 살아야 하는지 생각하게 하는 시를 평한다. 죽음에 대한 바른 인식은 삶에 대한 바른 인식과 다르지 않다. 삶과 죽음이 하나이고 너와 내가 둘이 아니며 무아임을 깨닫는 시를 평한다. 요컨대 삶과 죽음이 생태적 순환 속에서 하나이며 너와 네가 하나임을 인식하고 더불어 살아야 함을 보여주는 시를 살펴본다.

제3부 '공空과 색色을 넘어 생태적 사유로'에서는 제2부의 인식과 연결하여 공과 색의 의미를 인식하고 공과 색이 하나임을 보여주는 시를 평한다. 현상세계를 바르게 인식한 후에 인간과 자연, 인간과 인간이 더

불어 살아가야 한다는 생태의식이 드러난 시를 살펴본다.

　제4부 '현실의식과 생태의식'에서는 월북 작가를 살펴보면서 남북 정치생태와 남북 분단이라는 한국 문단의 생태 환경을 살펴본다. 민족상잔의 비극 후 분단이라는 역사적 상황 속에서 문인들이 선택한 것을 결국 어떤 곳이 더 생태적인 정치를 하느냐의 선택이기도 하다. 불운한 역사의 소용돌이 속에서 시인들은 생태적인 국가를 염원하며 현실을 뛰어 넘어 이상세계로 가고 싶었던 것이다. 또한 4부에서는 광주전남작가회의 기관지인 『작가』지로 등단한 다섯 시인의 시세계를 살폈다.

　인간과 자연의 조화로움은 생태적 인드라망 안에서 서로 비춰주고 보듬어주며 사랑하고 살아야 함을 인식하고 실천했을 때 가능하다. 또한 시는 자유다. 시공을 초월할 뿐만 아니라 현실의 모든 정치적 사회적 경제적 억압에서 자유롭다. 비생태적인 현실의 틀을 깨는 것이 시이다. 인간이 인간답게 사는 것, 인간이 우주 만물과 생태적으로 더불어 사는 것, 이것이 생태의식이 드러나는 시에서 시인이 추구하는 세계이다.

2021년 12월 첫날
연경인문문화예술연구소에서

삶과 죽음을 초월하는 시인의 힘

　시인이 지녀야 덕목은 무엇일까. 여러 덕목들이 있겠지만 시인은 미래를 전망하는 눈이 있어야한다. 미래를 전망할 수 있는 직관력이 있어야 사회와 역사를 바로 볼 수 있다. 또한 인간과 세계를 바르게 이해하고 나아가야할 바를 제시할 수 있다. 일제강점기 때 독립을 꿈꾸고 전망하지 못한 시인들을 보라. 아무리 문학성이 뛰어나다 하더라도 친일을 하였기 때문에 오히려 비판을 받는다. 문학성이 좋은 시는 문학성이 좋은 시일 뿐, '사람다운 시인이 쓴 좋은 시'라고는 할 수 없다. 요컨대 정말 좋은 시인은 미래를 전망하고 삶의 방향을 제시해주면서 문학성 있는 시를 쓰는 시인이다. 또한 시와 삶이 일치하는 시인이다. 이러한 측면에서 나는 어떤 자리에 있는가. 나는 그런 시인이 되기 위해 성찰하고 노력하는 시인이다.

　미래를 전망하는 눈은 저절로 생겨나는가. 나는 그렇게 생각하지 않는다. 물론 직관력을 타고 나는 사람이 있을지도 모른다. 그러나 그것은 끊임없는 노력 속에서 생긴다. 자아와 타자와 세계에 대해 관심을 가지고 예리한 촉수로 주위를 살펴야 한다. 살핌과 이해하는 과정에서 연민의 정이 생겨나는데 연민이야말로 세계에 대해 가져야 하는 시인의 마음이다. 이렇게 끊임없이 사랑하면 어떻게 살아야 하는지도 알게 된다. 어떻게 살아야 하는지 알게 된 후에라야 바른 직관력을 가질 수 있다.

나는 평소 현실에서 일어나는 수많은 측면들을 고민한다. 대표적으로 인간이 가진 욕망의 문제를 성찰한다. 삶과 죽음을 동전의 양면처럼 가지고 있는 욕망의 문제는 인간을 죽이기도 하고 살리기도 한다. 온전한 삶의 길로 나아가기 위해서는 욕망의 방향이 중요하다. 내 시에서는 욕망의 방향을 제시하고자 한다. 삶과 죽음을 총체적으로 표현하여 내가 누구이고 어떻게 살아야하는지를 다시 한 번 생각하게 하고 실천에 이르게 할 수 있는 시를 쓰고자 한다.

시인으로서 나는 예민한 직관력의 촉수를 세계를 향해 뻗고 있다. 그 예민한 촉수에 걸리는 것 중 하나가 죽음 이후를 생각하는 것이다. 죽음 이후의 세계를 생각한다는 것은 진실한 삶을 생각하는 것과 별반 다르지 않다. 요컨대 죽음을 생각하는 것이 어떻게 살 것인가의 문제이고 나는 누구인가의 문제에 대해 총체적으로 고민하는 것이다.

삶과 죽음을 총체적으로 볼 때 중요한 것은 생태적인 세계관이다. 나는 생태적인 세계관이 인류와 세계가 봉착한 수많은 문제를 해결하는 핵심이라고 생각한다. 생태적 세계관은 동서양을 막론하고 아주 오랜 역사를 가지고 존재해왔다. 『성경』「창세기」에는 천지를 창조한 하나님이 인간에게 자연을 소유하고 이용할 권한을 부여한다. 이로 인해 기독교가 인간 중심의 비생태적 철학으로 보인다. 그러나 성경 곳곳에는 인간에게 자연과 생태적으로 더불어 사랑하며 살아가라는 메시지가 담겨있다. 또한 토테미즘, 애니미즘 등 다양한 생태관이 있지만 필자는 불교철학이 생태적 세계관을 잘 반영하고 있다고 보고 그 연관선상에서 쓴 시가 있다. 고대부터 존재한 생태적 세계관을 현실에 맞게 실천한다면 천지만물이 함께 어우러져 좀 더 행복하게 살 수 있는 세상이 되지 않을까 하는 기대를 가진다.

> 라싸의 아침
> 죽은 식물에서 나온 마른 바람이
> 푸석한 흙가루를 날린다
> 초원의 찰나와 영원 곁으로
> 맨몸을 드러낸 누군가가
> 온몸을 발가벗고 흙처럼 누웠다
>
> 태양의 동공이 흔들린다
> 벗은 율의(律衣)의 주름 위에도 흥건한
> 피비린내가 번진다
>
> 독수리의 발톱과 부리에는 그새 핏자국이 묻어 있다
> 사라지기 쉽게 잘려진 영혼의 뼈들
> 하늘이 이내 빗장 문을 열고
> 지상의 한 영혼이 반가 사유에 드는 날
> 독수리는 신화의 전언처럼 날개의 그늘을 만든다
>
> 잠시 어둠을 머금은 침묵, 사이
> 멀리 숲 속에는 짙은 초록빛이 유영하고
> 젖은 새가 뜨거운 숨을 뱉는다
>
> － 「독수리의 날들－천장(天葬)」 전문, 『독수리의 날들』, 천년의시작, 2016년.

위 시는 불교생태학적 인식으로 쓴 시이다. 천장은 티벳의 장례 풍습으로 불교에서 우주 근원 물질이라고 생각했던 땅, 물, 불, 바람으로 시신을 회귀시키는 의식이다. 이 시에 나는 누구인가와 어떻게 살 것인가를 함께 생각하고 실천하자는 의도를 담았다. 나라는 것은 곧 자연이고 자연이 곧 나이다. 나라는 것은 나 아닌 것들이 모인 것이므로 결국 천장을 통해 무아無我를 말하려고 했다. 무아이기 때문에 욕망 또한 진정한 내 욕망이 아님을 깨닫게 하고, 바른 방향으로 욕망을 가졌으면 하는 바람을 담았다.

위 시에서 독수리는 상징이다. 독수리는 모든 존재가 무아임을 보여준다. 존재는 결코 따로 떨어진 개별 존재들이 아니기 때문에 독수리는 생태학적으로 서로 돌고 도는 하나임을 보여주기 위한 매개체이다. 인드라망의 그물 속에서 나는 곧 너이고 너는 곧 나이다. 즉 생태적인 삶을 상징적으로 표현한 것이다.

요컨대 필자는 「독수리의 날들-천장(天葬)」에서 나는 나 아닌 모든 것과 한 몸으로 존재한다는 불교생태학적 삶을 표현한 것이다. 인간의 그릇된 욕망으로 생태계가 불안정한 상황에서 내가 시인으로 전망한 미래는 바로 '독수리의 날들'이 상징하는 의미처럼 생태적인 마음으로 생태적인 삶을 사는 것이다.

2021년 12월 첫날
연경인문문화예술연구소에서

차 례

제1부

허상과 욕망,
생태계의 끌림과 홀림

욕망하는 얼굴과 무아

심종록 시

에메랄드빛 바퀴벌레말벌의 마지막 일격에 비명도 없이 혼절하는 세상입니다 에메랄드빛 바퀴벌레말벌이 실신한 세상을 끌고 지나갑니다 소스라친 풍경이 뒷걸음질칩니다 섣부른 참견은 일신상에 해롭죠 에메랄드빛 바퀴벌레말벌은 외모에 버금가는 욕망으로 빛납니다 세상을 독식할 기대가 화염으로 타오릅니다 혼절했던 세상이 깨어나네요 꿈틀거리는 사지가 무척이나 뇌쇄적입니다 마른침을 삼키며 에메랄드빛 바퀴벌레말벌 뜨겁게 발기된 소외를 모든 세상의 기원*속으로 밀어…넣습니다

따뜻하게 부풀어 오른 주름 속에서 깨어난 에메랄드빛 바퀴벌레말벌의 애새끼 소란스럽게 세상을 폭식하기 시작합니다 입술이 닿는 곳마다 접혔던 주름이 팽팽해지고 계절이 마구잡이로 꽃들을 토해냅니다 룰루랄라 없던 산맥이 허공에 활화산을 만들고 무아의 해일이 감각의 정수리를 넘실거립니다 기적의 극지방에는 뇌성이 연거푸 울고 적도에는 은총의 폭설이 길을 끊어놓는 그때 문득

포만감으로 번들거리는 얼굴이 쳐들리는 창밖

누가 저 얼굴 모르시나요

* 세상의 기원 : 귀스타브 쿠르베의 그림.

  − 심종록, 「에메랄드빛 바퀴벌레말벌의 생태에 관한 보고서」, 『시인동네』, 2017년 10월호.

자연에서 일어나는 모든 현상들은 지구 생태계가 자연스럽게 유지되도록 구조화되어 있다. 각 생물들은 생존하는 저마다의 양식이 있다. 이들 양식이 모여서 생태피라미드는 균형을 이루고 세계는 원활하게 공생한다. 멀리서 바라보면 세계는 하나의 조화로운 숲이다. 하지만 가까이 다가가서 생물들이 살아가는 것을 자세히 들여다보면 삶은 치열한 투쟁이다. 즉 생존 방식 자체가 타자에게는 폭력일 수 있다. 생존을 위해 서로 주고받고 투쟁하는 장에서 한 걸음 뒤로 물러나와 포괄적으로 보면 생태피라미드 구조 안에서 세계는 자연스럽게 유지되는 것이다.

바퀴벌레는 고생대 석탄기였던 3억 5000년 전부터 지구상에 살았다. 지구 환경의 변화무쌍한 변화에도 대단한 적응력과 생존력으로 멸종하지 않았다. 기원전 10만 년 전이 되어서야 지구상에 등장한 인류와 비교하자면 지구상에서 바퀴벌레의 역사와 생존력이 얼마나 대단한 것인지 알 수 있다.

현재 약 4,000종에 달하는 바퀴벌레는 남극지방을 제외한 거의 모든 지역에 분포한다. 바퀴벌레는 어두운 곳을 어슬렁거리고 지저분한 찌꺼기 등도 먹어 치우는 잡식성이다. 다양한 먹을거리를 폭식해도 생존하는 능력이 있고 지저분한 곳에 살 수 있어서 오늘까지 종을 유지했다. 사람들은 대부분 이런 바퀴벌레를 불쾌한 시선으로 바라본다. 이처럼 생존력이 강한 바퀴벌레에게 독침을 쏘고 질질 끌고 다니는 곤충이 있으니 그것이 위 시에 등장하는 에메랄드빛 바퀴벌레말벌이다.

에메랄드빛 바퀴벌레말벌은 에메랄드빛처럼 화려한 옷을 입은 말벌이다. 에메랄드빛 바퀴벌레말벌이 생존하고 번식하는 방법은 소름이 돋을 정도다. 바퀴벌레의 몸을 활용하여 번식하는 에메랄드빛 바퀴벌레말벌은 자신과 몸 크기도 비슷하고 생존력이 강한 바퀴벌레에게 잔인한 방법을 쓰지 않고는 번식을 할 수 없었을 것이다. 에메랄드빛 바퀴벌레말벌이 바퀴벌레를 먹이로 또는 번식 수단으로 이용하는 방법은 먼저 독침으로 바퀴벌레를 마비시킨다. 바퀴벌레의 탈출반사 기능까지 마비시킨 후 에메랄드빛 바퀴벌레말벌은 바퀴벌레를 질질 끌고 자신의 은신처로 데리고 간다. 바퀴벌레 몸속에 에메랄드빛 바퀴벌레말벌은 알을 낳는다. 에메랄드빛 바퀴벌레말벌 애벌레 또한 생존방식이 이미 구조화되어있어 항생물질을 분비하여 자신의 세균감염과 바퀴벌레의 부패를 막는다. 바퀴벌레 몸에서 바퀴벌레를 먹고 자란 애벌레는 6주 후 에메랄드빛 바퀴벌레말벌로 다시 지구상에 모습을 드러낸다. 바퀴벌레의 몸은 에메랄드빛 바퀴벌레말벌에게 다 바쳐지고 사라지는 것이다.

그렇다면 지저분한 곳을 어슬렁거리며 폭식하는 바퀴벌레는 정말 징그럽고 더러운 곤충인가. 바퀴벌레의 생존방식을 나쁘다고만 할 수 있는 것인가. 에메랄드빛 바퀴벌레말벌이 바퀴벌레의 몸을 통해 번식을 하는 것을 나쁘다고 할 수 있을 것인가. 바퀴벌레는 징그럽고 쓸모없는 생물은 아니다. 온갖 찌꺼기를 먹어 치우는 청소부 역할을 하여 생태계가 유지되는데 한 역할을 하고 있다. 그렇다고 수많은 종과 대단한 번식력을 가진 바퀴벌레 천국이 되어서는 안 되지 않은가. 그래서 바퀴벌레를 포식하는 그룹이 있어 생태계는 유지된다. 그 중 에메랄드빛 바퀴벌레말벌이 포함되는 것이다.

그런데 에메랄드빛 바퀴벌레말벌이 번식을 하는 방법으로 인간이 살아갈 경우 세상은 어떻게 될까. 인간은 이성과 감성을 지닌 특수한 존재다. 인간이 폭력적인 방법으로 삶을 살아간다면 지구 전체가 위기에 빠질 수 있다. 인간이 가지고 있는 파괴적 능력은 곤충과 비교가 되지 않는다. 에메랄드빛 바퀴벌레말벌이 바퀴벌레 한 마리에 알을 하나 낳는다면 인간은 수십 마리 아니 수천 마리 이상이라도 욕망을 태우기 위해 알을 생산한다. 절제없이 욕망하는 인간은 타자를 파괴시킬 수 있는 능력을 가지고 있기 때문에 무서운 것이다.

위 시「에메랄드빛 바퀴벌레말벌의 생태에 관한 보고서」는 에메랄드빛 바퀴벌레말벌의 생태를 통해서 인간의 폭력적 욕망을 비판하고 있다. 시인은 독자에게 에메랄드빛 바퀴벌레말벌의 번식을 차분한 어조로 적나라하게 보여줌으로써 에메랄드빛 바퀴벌레말벌이 과연 누구를 상징하는지를 차분하지만 강렬하게 성찰하게 한다. 또한 쿠르베의 예술작품과 그것에 담긴 의미 등을 시 속으로 끌어와 패러디하면서 다양한 이미지의 변주를 낳고 흥미를 유발시킨다.

위 시에서 금속성으로 번들거리는 에메랄드빛 바퀴벌레말벌은 감정이 없어 보인다. 인정사정없는 '에메랄드빛 바퀴벌레말벌의 마지막 일격에' 세상은 '비명도' 지르지 못하고 '혼절' 해 버린다. 세상은 끊임없이 반성하고 소통하고 올바른 세계를 지향하며 나아가야한다. 그런데 권력을 가진 자들은 권력을 원활히 행사하기 위해 권력을 행사할 대상에게 생각하고 판단하는 능력을 마비시켜 생각의 싹마저 잘라버리려고 한다.

무엇이 인간을 판단정지 시키는가. 욕망을 뻗어가는 인간은 과학과 심리학을 욕망을 위한 도구로 교묘하게 사용하기 때문에 더욱 무섭다. 권력자들은 타자에게 자신이 노예가 되는지 모르고 노예가 되게 만드는 방법을 이용한다. 권력을 가진 자가 거대하게 욕망을 마음대로 뻗어나가고 유지하기 위해 대중에게 생각 못하게 하고 비판력을 잃게 강요한 예는 역사적으로 많다. 중국 진나라 시황제 때 분서갱유도 그 한 예가 될 것이다. 사상서적은 모두 불태워 민중이 정치를 비판하려는 생각과 행동을 봉쇄하고 권력자가 욕망하는 대로 세상을 움직이려 했다. 이 같은 일들은 BC 200여 년 전 사건만이 아니라 현재 진행형이니 문제다.

판단력이나 저항력을 상실한 인간을 마음대로 조종하는 것은 손쉬운 일이다. 자본의 노예, 이미지의 노예가 되어 좀비처럼 살아가는 것이 현대인의 특징이기도 하다. 에메랄드빛 바퀴벌레말벌이 실신한 바퀴벌레를 질질 끌고 자신의 은신처로 데리고 가듯이 타자를 점령하고 착취하고 이용하려는 잔인한 욕망은 '실신한 세상을 끌고 질질 끌고 지나' 가는 것이다. 그런데 더욱 문제가 되는 것은 그것을 보고도 자신의 안전을 위해서 또는 자신의 생활에 피해가 올까봐 주위에 있는 사람들조차 눈 감고 모른 척 한다는 것이다. 불의를 보고도 가만히 있으면 세상은 타탕하지 않은 방향으로 끌려가는 것을 뻔히 알면서도 '섣부른 참견은 일신상에 해'로울 수 있기 때문에 '소스라친 풍경이 뒷걸음질' 치는 상황이 되는 것이다.

에메랄드빛 바퀴벌레말벌의 몸은 '욕망으로 빛'이 나고 '세상을 독식할 기대가 화염으로 타오'른다. 그런데 그 욕망은 진정한 욕망이 아니기에 '소외'된 인간성의 몸부림에 지나지 않는다. 에메랄드빛 바퀴벌레말벌이 '뜨겁게 발기' 되어 번식을 위한 결실을 맺으려는 순간이다. 그러나 진정성보다는 욕망이 앞서는 상황이므로 진정한 사랑의 결실을 맺을 곳이 아닌 귀스타프 쿠르베의 그림 속 이미지 같은 곳에 배설할 뿐이다.

소외와 거짓 이미지가 낳은 것은 태어나자마자 '소란스럽게 세상을 폭식하기 시작' 하는 기형적인 괴물이다. 그 괴물의 입김이 닿은 것은 비정상적인 세계가 된다. 때가 되어 자연스럽게 피우는 꽃이 아닌 욕망만이 가득하여 '계절이 마구잡이로 꽃들을 토해' 내는 상황이 된다. 여기서 시적주체의 어조는 더욱 비판적인 어조가 된다. 또한 불교적인 시선으로 상황을 바라본다. '없던 산맥이' 생겨나 활화산을 만드는데 그 장소는 '허공’ 虛空이다. 자아가 있다고 생각하고 아무리 자신의 욕망을 뻗어나가 보지만 그 자리는 공성空性의 자리가 아닌 허공이다. 허공이 된 자아는 온갖 나쁜 짓을 해도 무감각하다. 살인 등을 해도 무감각하다. 죄의식을 느끼지 못한다. 허공이기 때문에 윤리적인 문제가 발생하며 파괴적이다. 뿐만 아니라 폭식과 독식을 해보지만 한갓 물거품에 지나지 않는다. 모든 존재는 ‘무아’이고 공이기 때문이다.

에메랄드빛 바퀴벌레말벌의 번들거리는 몸은 인연에 의해 나타났다 사라지는 것이기 때문에 세상을 정복할 것 같은 욕망은 ‘무아의 해일이 감각의 정수리를 넘실거’리는 것에 불과하지 않는다. 세상의 현상들은 환상이고 꿈이다. ‘기적의 극지방에는 뇌성이 연거푸 울’거나 ‘적도에는 은총의 폭설이 길을 끊어놓는’ 것처럼 말이다.

욕망이 ‘포만감으로 번들거리는 얼굴이’ 있는 창 밖에 보라. 누구의 얼굴인가. 그 얼굴은 얼마나 멀리 있는가. 얼굴이 ‘쳐들리는 창밖’을 보라. ‘누가 저 얼굴 모르시나요’라고 시적주체는 의문 아닌 의문을 던짐으로써 현실을 강하게 비판한다. 어디서 많이 본 얼굴이 아닌가. 권력을 가진 자가 휘두르는 욕망 앞에 혹시 마비된 적은 없는가. 욕망의 폭력성을 보면서 모른 척하지는 않았는가. 더구나 혹시 여러분 중의 누구 얼굴은 아닌가. 인간은 존재 방식을 선택할 수 있는 능력이 있다. 무아임을 알고 공성을 알고 욕망을 좀 덜어내어 공생하며 살아야 되지 않겠는가.

극한에서 더불어 살아남기

정현우 시

얼어 죽기 좋은 날이야

눈밭에 세워 놓은 칼에 물개의 피가 유리알 같았다.

늑대는 오고 있었다.
눈알들이 석류 알로 터져버리고
피 냄새를 맡은 늑대들이 칼날을 핥기 시작했다.

그대로 두면 된다.
혓바닥이 잘려나갈 때까지,
달과 해가 서로 마주 앉은 곳으로
잘려나간 손목들이 쏟아지고 있었다.
야생이 계시될 때 살기를 믿는 순간들이 신앙이 되었다.

아버지 제가 죽었어요,
저 늑대를요. 숨이 끊어지고
숨이 쉬어지지 않는 저것을요.
칼날이 늑대의 목을 지났다.
이가 검게 물들었구나.

주검을 넘기는 게 무서워요.

아버지는 늑대의 머리를 북쪽으로 남겨두었다.

가을에는 얼음 구멍으로
숨 쉬러 올라오는 짐승들의 머리를 여름에는 고래를 잡았다.
사슴 고기를 던져 놓은 곳으로
독을 바른 작살이
떠오를 때까지 몇 년을 기다리던 물고기가 고개를 내미는 달, 그 달을 따라가면,
지느러미가 없는 잉어들이 가물거렸다.

툰드라 끝 우리가 버려진 곳에서
까치발을 들면 보일까요,
우리의 토성은 어디로 향해있나요,
우리는 어디에서 오는 걸까요,

그 해 모든 북극곰이 보이지 않았다.
아버지가 겨울에는 남극으로 여행을 갔을 거라 했다.

순록베개에 얼굴을 묻고 놓아준 새끼 북극곰을 떠올렸다.

– 정현우, 「에스키모의 유령 2」, 『시와 사상』, 2017년 가을호.

　　인간과 자연의 관계 설정은 생존 문제 앞에서는 애매해진다. 자연을 어느 정도 활용하는 것이 옳은 것인가. 생존하기 위해 어떤 방법을 택해야 동물의 권리를 보장해주는 것인가. 인간은 인간으로서 마땅히 누리고 행사할 수 있는 기본적인 자유와 권리를 보장 받아야 한다. 생명을 지닌 동물이나 식물 또한 기본적인 생명의 권리는 존중해주어야 한다. 그런데 인간이 극한의 상황에서 생존해야 한다면 다른 생명을 피 흘리게 밖에 할 수 없는 것인가. 극한 상황이라도 다른 생명을 피 흘리게 하는 정도를 최

소한으로 조정할 수 있지는 않겠는가.

위 시 「에스키모의 유령 2」에서 인간이 사는 곳은 눈과 얼음으로 덮여 있어 자연적으로 풍성한 곡식이나 열매를 얻을 수 없는 지역이다. 먹을 것을 구하는 것이 쉽지 않은 상황이니 '얼어 죽기 좋은 날'일 수밖에 없다. 인간이 얼어 죽기 좋은 날이면 다른 생물 또한 얼어 죽거나 굶어 죽기에 좋은 상황이다. 모든 생물은 환경 여건에 맞게 진화하거나 상황에 적합한 생존 방식을 선택한다. 툰드라 얼음벌판에서 살아가는 늑대의 육식성은 잔인하다. 순록을 잡아 살을 뜯어 먹고 뼈까지 먹는다. 그럴 수밖에 없는 생존여건이기 때문이다.

이성을 가진 인간은 좀 더 손쉬운 방법으로 생존 방법을 고안해내기도 한다. 에스키모 인들의 늑대 사냥 방법은 인간에게 간단한 사냥법이지만 늑대의 입장에서 보면 잔인하기 그지없다. 위 시는 에스키모인의 늑대 사냥법을 통해 생물들의 생존 법칙과 더불어 인간의 잔인함과 과한 욕망을 비판적으로 보여준다. 에스키모 인들은 늑대를 꾀어내기 위해 피 냄새를 잘 맡는 늑대의 특성을 이용하여 늑대를 사냥한다. 면도날처럼 날카로운 칼날을 얼음 위에 꽂고 칼날에 물개나 순록 등의 피를 발라 두는 것이다.

허기진 늑대는 피 냄새를 맡고 칼날에게로 달려온다. 늑대는 피 냄새를 풍기고 있는 것이 자신의 생명을 위협하는 도구인지도 모르고 칼날에 묻어 있는 피를 핥는다. 허기라는 욕망에 집중한 늑대는 자신의 혀가 베이고 있는 줄도 모르고 피를 필사적으로 핥는다. 물개의 피는 액체 상태로 있는 것이 아니라 고체 상태로 얼어서 칼에 붙어 있으니 금방 핥을 수 있는 것도 아니다.

위 시에서 칼날에 얼어붙어 있는 물개의 피는 '유리알 같'은 상태로 표현한다. 유리라는 물질의 특성은 단단함과 반짝임으로 아름답기도 하지만 깨어지면 날카롭고 위협적인 속성을 가지고 있다. 늑대는 유리알 같이 단단하게 붙은 피를 핥느라 칼날에 혀가 베이고 코가 베이고 얼굴이 피투성이가 되는데도 자신의 피 인지 물개의 피 인지조차 인식하고 판단하지 못한 채 욕망 채우기에 급급하다. 칼날에 눈마저 베여서 '눈알들이 석류 알로 터져버려도' '피 냄새를 맡은 늑대들'은 '칼날을 핥'는다. 결국 늑대는 '혓바닥이 잘려나'가고 과다 출혈로 죽게 된다.

인간의 욕망 또한 이성은 물론 감각마저 상실한 채 욕망 채우기에 급급하다. 인간이 욕망의 대상을 가지려고 현상은 보지 않고 손을 뻗어 잡는 욕망에만 집중하는 동안 손은 칼날에 베인다. 인간은 손이 베이고 손목이 잘려 나가는 줄도 모르고 끊임없이 욕망의 대상을 손에 잡으려고만 한다. 밤낮을 가리지 않고 소유하고 쟁취하려고 하는 인간은 '달과 해가 서로 마주 앉은 곳' 즉 이 세계의 수레바퀴가 돌아가는 모든 곳에서 욕망하기에 '잘려나간 손목들이 쏟아지고 있'는 것이다. 욕망을 역동하게 추동하는 현대 사회의 요소들이 마치 야생에서의 늑대 사냥법이 신의 '계시'라도 되는 양 '살기를 믿는 순간들이 신앙'처럼 되어 맹목적으로 인간을 욕망하게 하는 것이다.

시적주체는 이 같은 상황에 두려움을 느낀다. 차츰 칼날에 베여 죽어가는 늑대를 보며 공포를 느낀다. '아버지 제가 죽었어요'라고 외치는 시적주체는 전지전능한 신에 대한 절규이기도 하다. 살상의 상황이 끔찍한 시적주체는 '칼날이 늑대의 목을 지'나고 늑대의 '숨이 끊어지고' '숨이 쉬어지지 않는 늑대'를 보며 자책한다. 피를 핥던 늑대의 이가 '검게 물들'어 있는 것처럼 시적주체 또한 이를 피로 검게 물들이며 시체를 먹어야하기에 '주검을 넘기는 것이 무'서운 것이다.

인간은 생명을 가진 것의 목을 칼로 베어 숨지게 하고 그 시체를 먹는 일을 당연하게 행하지만 사실상 얼마나 잔인한 일인가. 그런 잔인한 법칙을 만들고 그 법칙대로 살아왔으며 그 법칙을 자식에게 가르친 아버지는 자식의 절규에 침묵으로 일관한다. 단지 인간이 살기 위해서는 다른 생명을 죽음의 세계로 보내는 것이 자연스러운 일인 것처럼 태연히 먹을 것 없는 '늑대의 머리를 북쪽으로 남겨' 둘 뿐이다. 하나의 존재를 상징하는 늑대의 머리는 욕망을 채우기 위해서는 중요하지 않으니 그 존재가 가진 살덩이만 취하고 버려지는 것이다.

　인간의 욕망은 다양한 곳에서 다양한 방식으로 행해진다. '가을에는 얼음 구멍' 을 파 놓고 '숨 쉬러 올라오는 짐승들의 머리를' 잡는다. '여름에는 고래를 잡' 는다. 교묘하게 목표하는 동물들이 가진 생존의 속성을 파악하여 '사슴 고기를 던져 놓' 기도 하고 '독을 바른 작살' 을 이용하기도 한다. 아무 것도 모르는 물고기는 '고개를 내' 밀다가 인간에게 잡히고 죽임을 당하고 먹힌다. 이러한 삶의 끝에는 무엇이 있을까. 달밤에는 어디를 가나 달이 따라온다는 인식은 옳지 않다. 달이 따라 오는 것이 아니라 인간이 달을 욕망하고 달을 따라가는 것이다. 따라서 인간은 현상을 바르게 인식하지 못하고 인간 중심으로 행동하는 기형적인 삶을 산다. 즉 유령처럼 '지느러미가 없는 잉어들이 가물거' 리는 세상인 것이다.

　은밀히 살펴보면 모든 존재는 얼어 죽기 좋은 툰드라에 버려져 있는 것인지도 모른다. 얼음 벌판에서 '툰드라 끝 우리가 버려진 곳에서' 모두는 '까치발' 이라도 들고 가까스로 살아가야 되는 존재일지도 모른다. '어디에서' 왔는지 알 수 없고 어떻게 살아가야 하는지 어디로 '향해있는지' 막막한 상태로 생존해야 하는 것이다. 인간이 취하는 폭력성과 욕망은 이 물음 안에서 모두 용서될 수 있는 것인가. 그것은 아니다. 인간의 욕망은 기본적인 생존을 위한 것에만 사용하는 것이 아니라 '모든 북극곰이 보이지 않'게 만들 만큼의 거대한 욕망을 행사하기 때문이다. 아버지는 이런 상황에서도 태연하다. 모든 북극곰이 보이지 않는 이유를 궁금해 하는 자식에게 '겨울에는 남극으로 여행을 갔을 거라'고 한다. 이렇듯 신 또는 인간은 다른 생물에게 가한 폭력성을 정당화시키고 다른 생물의 고통에 무심한 경우가 많다.

시적주체는 이 모든 것을 고민하고 두려워한다. 요컨대 위 시는 존재에 대한 의문과 생명의 소중함에 대해 성찰하게 한다. 그리고 각각의 생물들과 더불어 존재하는 세계를 꿈꾼다. 시적주체는 '순록베개에 얼굴을 묻고 놓아준 새끼 북극곰을 떠올'린다. 지금은 사라지고 보이지 않는 북극곰이지만 놓아주었던 북극곰 새끼가 어딘가 살아 있고 다시 돌아올 것이라는 희망을 내비친다. 생명을 소중히 여기는 인간의 마음들이 모여서 생존을 위한 최소한의 것만 채우고 살면 어떻겠는가. 극한의 상황에서도 지구상의 모든 존재가 최소한의 것만 취하여 더불어 살고, 풍족한 상황에서도 폭식적인 욕망을 억제하고 가진 것을 나누면서 사는 것이 바람직한 생태적 삶이 아니겠는가.

욕망을 위한 홀림, 끌림

송진권 시

벌꿀오소리야
벌꿀오소리야
나를 따라와
나를 따라오면 예쁜 꽃이 피어있고
나를 따라오면 맛있는 벌꿀이 있는 곳을 알려주마
해묵은 고목이나 험한 바위 속
켜켜 달콤한 꿀을 쟁인 꿀벌들이 살고 있단다
내 이름은 검은목벌앞잡이새
맛있는 벌꿀이 나는 곳을 알고 있지
아흔 아홉 가지의 길을 영리한 나는 알고 있지
나 혼자만 알고 있는 비밀이지
너에게 한 가지만 알려줄게

벌꿀오소리야
벌꿀오소리야

내 이름은 검은목벌앞잡이새
수많은 벌들의 나라로 가는 길을 알고 있지
여기로 가면 호박벌의 나라
이쪽은 호리병말벌의 집

말벌과 땡삐를 조심해야 해
나나니벌들은 네 몸에 산란관을 꽂고 알을 낳지
네 몸을 뚫고 벌구더기들이 구물구물 기어나올 거야
나나니벌들을 조심해
발을 헛디디지 않도록 조심해
무간지옥 낭하로 떨어지지 않게 조심해

벌꿀오소리야
벌꿀오소리야
그렇다고 너 혼자 다 먹지는 마
내 몫으론 네가 먹다 남긴
약간의 꿀과 밀랍 애벌레면 족하지
네가 혼자 다 먹어치운다면
다음번엔 나는 너를
사자에게 안내할 거야
악어에게 인도할 거야
표범에게 데리고 갈 거야

– 송진권, 「검은목벌앞잡이새의 노래」, 『시와 반시』, 2017년 가을호.

자연생태계는 먹고 먹히는 생태피라미드 안에 있지만 서로 공생하며 사는 것들도 있다. 검은목벌앞잡이새는 꿀이 있는 곳은 잘 찾지만 그 꿀을 먹을 재간이 없다. 라텔이라고 불리는 벌꿀오소리는 남부 아시아나 아프리카에 서식하는 잡식성 동물로 벌꿀을 좋아한다. 스스로 꿀을 잘 찾지 못하지만 난폭하고 공격적인 성질과 튼튼한 앞발로 벌집을 부수고 파헤쳐 꿀을 먹고 애벌레를 먹을 수 있는 능력은 있다. 벌꿀오소리는 털이 촘촘하게 나있고 피부가 두꺼우며 피하지방이 몸을 보호하기 때문에 벌에게 쏘여도 통증을 별로 느끼지 않는 특징도 있다. 벌꿀오소리는 독성이 강한 킹코브라에게 물려도 생존하며 킹코브라를 잡아먹기도 할 정도로 강인하다. 벌꿀오소리는 어떤 덩치 큰 동물을 만나도 물러서지 않는 공격성을 지녔기 때문에 두려울 것이 없다. 이런 벌꿀오소리가 벌꿀을 무척 좋아하지만 벌꿀을 찾는 능력이 부족한 것이다.

검은목벌앞잡이새와 벌꿀오소리 두 생물은 서로 공생을 위한 방법을 사용한다. 검은목벌앞잡이새가 벌꿀오소리를 유인하는 특별한 울음소리로 꿀이 있는 곳까지 벌꿀오소리를 안내한다. 사자도 겁내지 않아 가장 용맹한 생물로 기네스북에도 올랐다는 벌꿀오소리가 작은 검은목벌앞잡이새를 믿고 안내하는 곳으로 따라간다. 벌꿀이 있는 곳에 닿으며 벌꿀오소리는 벌집을 부수고 파헤쳐서 꿀을 먹은 후에 유유히 사라진다. 벌꿀오소리가 가고 나면 벌꿀오소리가 남긴 꿀을 검은목벌앞잡이새가 먹는 것이다.

위 시는 사자에게도 덤비는 난폭하고 공격성이 강한 벌꿀오소리를 작은 검은목벌앞잡이새가 마음대로 희롱하며 유인하는 장면을 유쾌하게 그려내고 있다. 검은목벌앞잡이새가 벌꿀오소리를 유인하며 내는 울음소리를 '벌꿀오소리야/벌꿀오소리야/나를 따라와' 라고 인간의 언어로 재미있게 풀어서 쓰고 있다. 또한 '나를 따라오면 예쁜 꽃이 피어있' 다고 표현하여 벌꿀오소리가 가지고 있는 폭력적이고 공격적인 본성을 아름다움을 아는 존재로 미화시켜 아름다움의 세계로 안내하려 한다. 검은목벌앞잡이새는 마치 자기를 따라오기만 하면 별천지로 데리고 갈 것처럼 감미로운 목소리로 '나를 따라오면 맛있는 벌꿀이 있는 곳을 알려' 주리라고 유인한다.

벌꿀오소리의 약점을 아는 검은목벌앞잡이새는 '켜켜 달콤한 꿀을 쟁인 꿀벌들이 살고 있' 다고 벌꿀오소리 마음을 조종하며 유인한다. 벌꿀오소리에게 '해묵은 고목이나 험한 바위 속' 뿐만 아니라 '아흔 아홉 가지의 길'을 알고 있을 정도로 영리한 새임을 주입시킨다. 검은목벌앞잡이새는 주의사항까지 일러준다. '말벌과 땅삐를 조심해야' 하고 나나니벌들을 조심하라고 일러준다. 난폭한 벌꿀오소리는 말없이 검은목벌앞잡이새의 말을 경청하고 검은목벌앞잡이새는 나나니벌들이 '몸에 산란관을 꽂고 알을 낳'게 되면 '네 몸을 뚫고 벌구더기들이 구물구물 기어나올 거야'라고 겁을 준다.

나나니벌도 에메랄드빛 바퀴벌레말벌처럼 사냥한 먹이의 몸에 알을 낳는다. 나나니벌 알은 깨어나 그 먹이를 먹고 자란다. 에메랄드빛 바퀴벌레말벌 애벌레가 바퀴벌레를 먹고 나오는 것처럼 말이다. 무적의 벌꿀오소리에게 하는 위협은 여기에서 그치지 않는다. '발을 헛디디지 않도록 조심'하라고 일러준다. 발을 헛디디면 '무간 지옥 낭하로 떨어'질 수 있다고 위협을 한다. 무간지옥은 당하는 괴로움이 끝이 없기에 붙여진 이름이다. 무간지옥에서는 죄인의 가죽을 벗기고 그 가죽으로 죄인의 몸을 묶은 뒤 불수레에 싣고 불 속에 넣어 몸을 태운다고 한다. 그 뿐만 아니라 야차들은 큰 쇠창을 달구어 죄인의 몸을 꿰거나 입, 코, 배 등을 꿰어 공중에 던진다니 얼마나 끔찍한 형벌인가. 검은목벌앞잡이새는 벌꿀오소리가 그 형벌을 받을 수도 있으니 말을 잘 듣고 잘 따라 오라는 것이다. 무적의 벌꿀오소리는 검은목벌앞잡이새의 말에 아무런 대꾸도 못하고 듣고 있다.

아무리 강자라 하더라도 자신이 필요한 것을 얻을 수 있느냐 없느냐에 따라 약자가 되기도 한다. 이것은 비굴함과도 연관된다. 많은 사람들이 자기에게 무엇인가 줄 수 있을 것 같은 자 앞에서는 자존심도 없이 굽실거리며 자신을 표현하지도 못하고 질질 끌려 다닌다. 상대방의 약점이 무엇인지 아는 사람은 약점을 이용하여 끌고 다니며 자신이 얻고자 하는 것을 얻는다. 현대 사회에서 이러한 일들은 비일비재하다. 그러나 위 시에서는 난폭성을 가진 벌꿀오소리에게 약자로 보이는 검은목벌앞잡이새가 요구한다는 것에 더 의의가 있다. 새도 잡아먹는 잡식성인 벌꿀오소리에게 검은목벌앞잡이새의 용기는 인정할 만하다. 더군다나 벌꿀오소리가 아니면 꿀을 먹을 재간도 없지 않은가.

검은목벌앞잡이새는 벌꿀오소리에게 벌꿀이 있는 데까지 안내해주겠으니 '혼자 다 먹지는 마' 라고 경고도 한다. 그러나 많이 요구하지 않는다. 자신이 먹을 만큼만 요구한다. 검은목벌앞잡이새는 '내 몫으론 네가 먹다 남긴/약간의 꿀과 밀랍 애벌레면 족하지' 라고 한다. 거대한 힘을 지닌 벌꿀오소리를 유인할 정도로 능력이 있지만 과욕을 부리지 않는 절제의 미덕을 보여준다. 물론 절제의 미덕은 벌꿀오소리에게도 적용되는 말이다. 적당히 먹을 만큼 먹고 타인을 위해 남기라는 말이다. 검은목벌앞잡이새가 벌꿀오소리에게 하는 이 경고는 끝없이 욕망하는 인간들에게 하는 말에 다름 아니다.

위 시는 인간이 무아임을 알지 못하고 혼자 다 먹어치우려고 욕망한다면 무서운 일이 닥칠 것이라고 경고한다. 만약 혼자 다 먹어치운다면 '사자에게 안내' 하고 '악어에게 인도' 하고 '표범에게 데리고' 간다고 협박을 한다. 혼자만의 욕심을 부리면 먹이를 얻기는커녕 오히려 다른 것의 먹이가 되게 만들어 버리겠다는 협박은 모든 것을 독차지하려는 욕망으로 생태계의 불균형을 초래하는 인간에게 경각심을 유발시킨다. 요컨대 이 시는 생물의 공생을 보여주면서 동시에 인간의 과도한 욕망을 비판하고 있다. 법정스님이 말했듯이 무소유는 꼭 필요한 것만 가진다는 의미이다. 요컨대, 위 시는 무소유의 마음으로 공생하여 생태적으로 조화를 이루는 삶을 제시하고 하고 있다.

기괴한 세계사

홍일표 시

포도밭에서 나오니 여러 개의 시선이 몸속에 박힌다

오래 젖은 눈

어디로 튀어나갈지 모르는 저 부동의 자세가 불안하다 모든 불안은 공기의
외부에 붙어 있다 구두수선공은 허공이 닳은 방향을 예감한다 공습은 이어지고
눈동자들이 점점 돌멩이처럼 커진다

숨을 곳이 없다
피 흘리는 팔레스타인을 안고 뛴다
하늘이 깨져서
너무 잘 보이는 땅
하늘 밖까지 맹렬하게 자라는 손들

눈동자들이 송알송알 붙어있다
곳곳에 돌들이 폭발하고 하늘이 터진다

가끔 입술을 깨물고 구두수선공처럼 허공을 꿰매 보아도
내 안에서 눈동자들이 범람한다 서로 끌어안고 저녁을 조금씩 잘라 먹으며
검은 밤이 된다

앞이 사라져 한곳에 몰려 있는 눈동자들
그들이 앞을 바라보는 한쪽 방향만 첨탑처럼 뾰족해진다

포도의 눈까풀을 덮어주며 나는 잠시 오래된 평화인 척한다

- 홍일표, 「세계사」, 『애지』, 60호, 2014년.

  사랑과 평화라는 말은 인간이 행복하기 위해 기본적으로 필요한 것이
다. 개인이나 개별 국가의 행복과 평화만 생각한다면 그 평화는 온전한
것이 못 된다. 개별적인 만족을 위해 타인이나 타국의 평화는 생각하지
않고 전쟁을 일으킨다면 타인의 행복과 평화는 물론이고 스스로의 행복
과 평화도 파괴된다. 따라서 인간은 공동의 선을 추구하며 살았을 때 함
께 행복해지는 것이다. 너무나 간단한 이 진리를 왜 인간은 지키지 않는
것일까. 인간의 역사는 개별적 욕망과 이익을 위해 너무 많은 전쟁을 했
다. 너무 많은 사람들이 죽고 자연이 파괴되고 건물이 파괴되었다. 그릇
된 욕망을 부추기는 이는 누구이고 욕망을 실행하는 이는 누구이고 욕
망에 의해 파괴되는 것은 누구인가. 불행하게도 인간이다.

  평화라는 말이 무색할 정도로 혼란스러운 세계사는 지속되어 왔다. 세
계 곳곳에서 벌어지고 있는 참상은 하늘을 의심할 수밖에 없는 상황이
다. 그래서 시적화자에게 하늘은 '깨'진 '하늘'이다. 인간을 보호하고자
하는 하늘이 있으면 이스라엘과 파키스탄의 참상은 벌어지지 않았을 것
이다. 하늘에 대한 의심은 비단 현 시대에만 국한되는 것이 아니다. 중국
의 역사를 다룬 『사기』에서 사마천이 했던 탄식이 자꾸 생각나는 이유는
무엇일까. 오랜 세월이 흐르고 인간의 문명은 진보하였지만 지금도 똑 같
은 탄식을 할 수 밖에 없는 상황이기 때문이다. 개별적인 권력욕과 소유

욕을 위해 얼마나 많은 사람들이 생명을 죽이고 전쟁을 해왔던가. 무분별한 개별적 욕망 추구는 인간의 평화를 깨뜨리는 무서운 폭발물이다.

왕이라는 자리를 서로 양보하다가 둘 다 고죽국을 떠난 백이와 숙제는 진나라 무왕이 아버지 문왕의 죽음에 대한 예를 다하지 않은 채 전쟁을 하러 가는 것을 본다. 백이와 숙제는 무왕의 앞을 가로막으며 말렸으나 결국 무왕은 전쟁에 나가서 주왕을 토벌해 죽이고 전쟁에서 이긴다. 백이와 숙제는 개별적인 이익을 챙기는 것과는 거리가 먼 사람들이다. 그런데 결국 수양산에서 지조를 지키며 고사리를 캐먹고 살다가 죽었다.

공자가 인정한 뛰어난 제자 안연도 가난했으나 물질적 욕망 추구를 한 것이 아니라 오직 인仁한 사람으로 살았다. 안연이 공자의 문하로 들어오고 난 후 제자들 사이에 분위기가 더 좋았다고 한다. 시기나 경쟁이 아닌 인한 마음으로 더불어 사랑하며 살았고 사람의 도리를 실천했기 때문이다. 그런데 어진 안연도 빨리 죽었다.

그런데 도척이라는 자는 사람들을 죽이고 탐욕을 채우며 살았으나 장수하며 살았다. 그래서 도대체 천도가 있냐고 사마천은 탄식을 했다. 천도가 인도이고 인도가 천도가 되어야 바람직한 세상이 아닐까. 상식적으로 이해하기 어려운 역사적인 실례에서 봤을 때 천도는 상식적인 인도와 다르다. 그렇다면 천도에는 인간이 이해하기 어려운 깊은 뜻이라도 있단 말인가.

세계사는 전쟁과 폭력의 역사라 해도 과언이 아니다. 눈에 보이는 물리적인 전쟁 이외에도 현대 사회 속의 경쟁 또한 전쟁의 폭력성을 가지고 있다. 정의와 진실이 이길 때가 역사에서 얼마나 많았던가. 무서운 일이다. 기괴한 세계사다.

시적주체는 그런 공포를 기괴한 상황으로 연출한다. '하늘이 깨어져'

버렸다. 불안하고 무서운 상황이다. 하늘은 세상 존재들을 사랑으로 쓰다듬어 주고 보호해주어야 할 전지전능하신 신이다. 그런데 그 하늘이 깨어져 버렸으니 모든 존재의 진실은 구멍이 나고 불안이 무성할 수밖에 없다. 불안한 존재 인간은 깨어진 하늘 아래서 숨을 곳이 없다. 부조리한 공습이 이어지자 인간은 어디로 가야할지 더욱 불안해한다. 그들의 눈은 오랫동안 눈물로 젖어 있었다.

시적주체는 애원이나 절규의 눈동자가 되어 타인의 고통에 무감각한 사람들에게 돌멩이 던지듯 강력하게 절규한다. 신이라는 존재에 대한 믿음보다는 대상을 알 수 없는 막연한 구원자를 향해 돌멩이처럼 눈만 커져서 구해주기를 바란다. 그 구원자는 일반 대중을 향하고도 있어서 요행에 가깝다. 하늘은 이미 깨어져서 대부분의 사람들은 자신이 바라보는 스크린 너머의 일들로 여기고 흥미는 보일 뿐 관심과 사랑을 보내기를 주저한다.

'피를 흘리는 팔레스타인을 안고 뛰'는데 숨을 곳이 없다. 하늘도 없이 숨을 곳도 없이 적에게 너무 잘 보이는 이 땅에서 평화를 구하는 것은 불가능한 것일까. 모든 풍경들이나 상황이 기괴하다. 기괴한 세계사다. '하늘 밖까지 맹렬하게 자라는 손들' 때문에 '눈동자들이 송알송알 붙어있' 다. 돌이 된 눈동자가 폭발하고 하늘도 자꾸 터진다.

시적화자는 그런 상황을 그냥 지나치지 않고 위기를 모면해보려고 애를 쓰는 양심적인 사람이다. '구두수선공처럼 허공을 꿰매' 보려고 애를 쓰며 고통과 아픔을 함께 하려고 할 뿐만 아니라 그 고통을 해결하고 싶다. 그래서 외부에 타자로 존재하는 눈동자가 아니라 '내 안에서' 눈동자들이 범람하는 것을 경험하는 것이다. 이미 시적주체의 내부로 들어온 눈동자는 서로가 서로를 끌어안을 줄 안다.

그런데 현실은 녹록치가 않고 불안과 공포의 세계이기 때문에 서로 끌어안고 '어둑한 세상의 저녁을 조금씩 잘라 먹으며 검은 밤'이 된다. 검은 밤이 된 눈동자들에게도 아침은 오리라고 낙관적 전망을 해본다. 그래서 시적주체는 포도의 눈까풀을 덮어주며 '오래된 평화'인 척이라도 해보는 것이다. '척'을 한다는 것 속에는 시적주체가 양심에 가책을 느끼고 있는 것을 의미한다. 앞이 사라져서 한 곳에 몰려 불안에 떨고 있는 눈동자들에게서 '척'이라는 임시방편적 희망이라도 필요하지 않겠는가. 희망은 불안과 절망을 딛고 일어설 수 있는 디딤돌이 되기 때문이다.

　수천 년 인간의 역사가 흘러도 천도가 있느냐는 탄식을 하게 되는 이 시점에서 눈동자들이 만들어가는 세계사, 민중이 만들어가는 세계사가 희망이지 않겠는가. 모든 천지만물이 평등하게 평화를 누리며 사는 생태적인 세상을 민중의 눈동자들이 만들어 가야되지 않겠는가. 민중의 눈동자가 하늘다운 하늘, 땅다운 땅을 만드는 것은 임시방편적 희망이 아니라 진리라는 것을 사실 시적주체는 이미 믿고 있는 것인지도 모른다.

서정이 백발을 호수보다 푸르게 한다면

함성호 시

밖에는 눈보라가 몰아쳐
먼 옛날이야기처럼 나무 문짝이 덜컹이고
날리는 눈이 귀신의 차가운 숨소리같이 싸르락 창을 두드려
나는 아무도 나다니지 않는 길에서
누가 소리 죽여 웃는 소리를 듣고 창 앞에 서 있다
웃음소리는 아직도 귀가 멍멍한데
소나무 판자로 이은 담벼락 사이로
바람이 쌓인 눈을 돌리고 다닐 뿐
인적이라고는 없고, 굶주린 개 한 마리 어슬렁대지 않는다
휘어진 자작나무처럼
추워서 허리가 부러질 것 같으면서도
나는 창 앞에서 쉽게 떨어질 줄을 모른다
왜냐하면 모든 게 그리운 밤이 올 것이다
기쁨과 슬픔이야
어쩔 수 없는 것들과, 할 수 없었던 것들
백옥 같이 환하게 웃던 —, 흐르면서 가만히 있고
가만히 있으면서 흘러가는
하얀 발자국 소리
하얀 발자국 소리

곧 이 얼음호수의 눈보라를 끌며 네가 들어올
저 문이 내 귀가 되어 떨고 있을
우리는 해와 달이 될 오누이처럼 구차하게 하늘에 빌지 말고
맷돌을 굴릴 오누이처럼 차라리 요행을 바라자
어떤 맷돌은 아직 푸른 바다 밑에서 돌고 있어
넙치며, 오징어며, 명태며, 도다리며, 온갖 것들을 기른다더라, 마는
어쩌다 나는 하얀 산같이
하얗게 핀 들판같이
흰 바위같이
기다리는 사람이 되었다
태양의 흑점을 살피다 눈이 하얗게 된 천문가는
그래서 기하학자가 되었다
불을 모시던 어느 사제는
화재가 나자 신전과 함께 하얀 재가 되었다
사람들은 신성모독에 분노했다
나는 수(數)의 기쁨도,
신성을 더럽히지도 못해서
기다리는 사람이 되었다
흐르면서 가만히 있는
누가 이 추위에 부러 문을 닫지 않은 모양이다
열렸다 닫히고 열렸다 닫히는 하얗게 지새는 소리
밤이 아니면 너는 돌아오지 않을 것이다
꼭 이런 밤에 나는 하얗게 눈멀고
꼭 이런 밤에 나는 하얀 재가 되어
무너져
푸른 호수에 백발을 감고 있는
하얀 혼 ―, 끝없이 내릴 흰 눈이 내린다
호수 위에 섬 하나로,
섬 하나도
호수 위에 내리는 눈처럼 잠깐 있다.
사라질 것 같은
오늘은 먼 옛날이야기처럼

눈이 내리고
섬 하나도
호수 위에 내리는 눈처럼

– 함성호 「푸른 호수 위에 –흰 섬 하나」, 『창작과 비평』, 여름호, 2014년.

동서양을 막론하고 신은 우주 탄생 및 자연 생성과 연관된다. 신이 자연이 되든지 자연이 신이 되든지 신은 곧 자연과 동격인 경우가 많다. 중국 반고신화盤古神話에는 반고의 몸이 자연으로 바뀐다. 우리가 바라보는 자연이 신의 몸인 것이다. 반고의 손과 발이 산이 되고 피는 강물이 되고 힘줄은 길이 되었으며 살은 논밭이 되었다. 바람과 구름은 반고의 숨결이 된 것이며 왼쪽 눈은 해가 되고 오른쪽 눈은 달이 되었다. 땀은 비와 호수가 된다. 땀은 인내의 산물로 덥다든지 힘이 든다든지 어떤 지나친 상황에 대한 생리 작용으로 흘리는 것인데 반고신화에 의하면 비와 호수가 그렇다.

위 시의 배경은 호수이다. 그것도 인내의 결정체인 호수에 눈보라와 추위가 더해져 인내로 다시 감내하며 얼어버린 얼음호수이다. 그냥 호수도 아닌 얼음호수. 얼음호수가 상징하는 바는 시적주체의 마음과 실상 다르지 않다. 기다리고 인내하는 시적주체는 자연과 동화되어 신화를 창조한다.

호수는 여성을 상징한다. 시적주체는 얼음호수를 보면서 호수의 본성이 가지고 있는 여성성을 다시 불러들이고 싶었던 것이다. 호수는 막막하고 그로테스크한 풍경을 가라앉히고 눈보라마저 품는다. 따라서 위 시는 호수를 통해 차갑게 얼어버린 마음을 안고 녹여주는 모성적 품기신화를 창조하고 있다.

처음 시적주체는 '누가 소리 죽여 웃는 소리'를 들었기 때문에 창 앞에 선다. 창 밖에는 아무도 없고 '귀신의 차가운 숨소리' 같은 눈만 창을 두드릴 뿐이다. 소리 죽여 웃는 웃음이었지만 시적주체에게는 귀를 '멍멍' 하게 할 정도로 심리적으로 크게 여운이 남아 그 웃음소리에 의지하여 창에 매달려 있다. 이제 시적주체는 대상이 불분명한 그 웃음소리를 기다림의 대상으로 환치시킨다. 그것은 그리움처럼 시적주체에게 강렬하게 다가온다.

천지가 눈으로 뒤덮이는 날, 오지 않는 사랑 앞에서 우리가 선택할 수 있는 가장 기본적인 최선은 기다림일 것이다. 기다림의 고통이 허리 꺾이는 아픔일지라도 기다리고 있다는 유일한 제스처는 창가에 붙어서 기다림의 대상이 올 길을 바라보는 것이리라. 길은 기다림의 결과가 이루어지도록, 만남이 이루어지도록 마련된 열림의 장이다. 길을 보며 기다린다는 것은 길과 한마음이 되는 것이다. 길은 누군가 지나가리라는 가정 하에 존재한다. 기다림을 가진 사람은 길과 교감하며 아직은 텅 빈 길과 함께 이 길로 올 누군가를 기다린다. 길의 마음을 읽고 길이 되어 돌아올 너를 기다리는 행위는 결국 시적주체가 시적주체에게 오는 마음 길이기도 하다.

지금 그 마음 길은 '눈보라'의 길이다. 창밖은 설원이고 얼음호수다. 만약 기다리고 있는 네가 온다면 얼음호수의 눈보라와 소리를 끌고 올 것이기에 '문은 귀'가 되어 덜컹이는 소리를 듣는 존재가 된다. 문은 기다리는 그 누군가를 맞이하고 소통하고 시적주체와 실재적으로 맞닿는 역할을 하는 사물이다. 아직은 소리만 들릴 뿐 시각적으로 볼 수 있는 그 누군가는 나타나지 않았기 때문에 지금 문은 기다림의 귀가 되어 촉각을 곤두세우고 있다.

그렇다면 과연 너라는 존재는 차가운 눈보라를 헤치고 얼음호수를 건너서 시적주체에게 올 정도로 절박할까. 설령 그런 절박함을 가지고 있더라도 너는 올 수 있는 존재가 아니다. 너는 시적주체가 스스로 만들고 불러들이는 존재이다. 그것은 타자이자 시적주체 자신이기 때문에 스스로 창조하는 것이다. 그래서 더 두렵고 인내가 따른다.

창밖의 눈보라는 '인적이라고는 없고, 굶주린 개 한 마리 어슬렁대지 않'을 정도로 거칠다. 그러니 내가 기다리는 존재가 쉽게 올 수 있는 여건이 아니다. 그것을 알기 때문에 시적주체는 절박한 심정으로 창에 붙어 있다. '허리가 부러질' 정도로 아파도 그렇게 창에 붙어 있다. '모든 게 그리운 밤'이 올 것이라는 믿음 때문이다. 시적주체가 부러진 자작나무처럼 허리가 아파도 고통을 참으며 기다리는 것은 어느 날 시적주체가 창조한 신화적 사랑에 대해 추억할 날이 올 것이기 때문이다.

시적주체는 '기하학자'처럼 수의 기쁨도 알지 못하고, '신성을 더럽히'지도 못해서 기다리는 사람이 되었지만 결국 밤이 되어야 네가 올 것을 알기 때문에 흐르면서 가만히 기다린다. 열렸다 닫히고 열렸다 닫히며 하얗게 지새다가 결국은 무너지고 만다. 너를 기다리는 눈 내리는 밤에는 하얗게 눈이 멀고 하얗게 재가 되어 무너져 내리고 마는 것이다. 눈은 계속 끝없이 내릴 것이다. 어찌하여 너는 눈보라치는 밤에 올 듯한 것인가.

시적주체는 기하학자도 못 되어서 수를 모른다. 날짜를 셈하고 시간을 셈하지 못한다. 계산하는 인간, 비인화된 인간, 그런 인간도 못 되어서 아무런 계산 없이 그저 기다린다. 그렇게 기다리다 눈이 녹아 사라지듯 결국 너는 오지 않고 기다림도 사라질 수 있다. 또한 네가 오지 않아도 눈은 계속 내릴 수도 있음을 시적주체는 안다. 시적주체는 결국 눈이 멀고 재가 되어야 기다리는 네가 올 것임을 알기에 그저 흐르고 흐르면서 기다리는 것이다. 내린 눈이 사라지듯 섬도 사라질 것이고 기다리던 나도 사라질 것이고 너는 처음부터 부재하는 자아이자 타자여서 너라는 기다림의 대상은 점점 눈이 녹듯 사라질 것이다. 그러다 어느 날 아주 낡고 오래된 이야기처럼 그리움을 불러일으키는 하나의 대상이자 사건이 될 것이다.

그것은 호수 위에 내리는 눈처럼 잠깐 있다가 사라질 것이다. 시적주체는 '신전을 태우'고 함께 타서 재가 되었다고 비난 받는 사제가 아니다. 신전의 불은 타올라야 마땅한 것이겠지만 그 모든 것도 점멸하는 신화이다. 신성한 것들이 모두 타버리고 남은 재처럼 눈은 그렇게 내린다. 신성함마저 다 비워서 눈은 더욱 신성하다. 그리고 그 실체는 이 지상에서 또 사라진다. 눈이 사라지듯 인간도 사라져야할 존재이다. 신 또한 인간의 소멸과 함께 사라질 것이다. 또 다른 인내를 가진 인간이 나타나면 새로운 신화가 창조될 것이다. 그것은 끊임없는 기다림과 인내에서부터 비롯된다.

기다린다는 것은 가장 소극적인 행위이면서 가장 적극적인 행위이다. 기다림은 침묵과 같아서 철학적 역설로 수많은 말을 쏟아내고 때로는 수많은 울음을 토해내고 수많은 사랑의 절규로 운다. 기다림이 내포하고 있는 것은 기다림만이 이전의 사건들과 사연들을 포함하고 있다는 것이다. 그 사연들이 기다림이라는 외연으로 존재하게 되는 것이다. 그뿐 아니라 기다림 이후의 이야기들도 품고 있다. 만남 이후의 모든 사연도 담고 있다. 그래서 기다림은 인내를 요구한다. 만남이라는 총체적 사건의 가장 긴장되고도 숭고한 행위가 기다리는 것이다. 기다림은 자기를 내려놓은 행위이다. 자기를 내려놓지 않으면 기다릴 수가 없다. 기다림은 나를 비우고 기다리는 대상에 대한 근본적인 인정과 배려가 필요한 행위이다.

인간이 존재하기 때문에 신은 신으로서의 격을 지닌 채 존재한다. 함성호의 위 시는 기다림의 미학을 보여준다. 시적주체는 문명 세계 속에서

만난 어떤 특정한 대상을 기다리는 것이 아니다. 고립되고 그로테스크한 상황과 풍경 속에 갇혀 불분명하지만 원초적이고 조화로운 그리움의 대상을 기다리고 있다. 신화적 공간에서 신화로 창조된 또 다른 나라는 미지의 대상을 기다리며 스스로를 견디고 있는 것이다. 나무 문짝이 덜컹거리는 소리에 '먼 옛날이야기' 처럼 이라는 말을 꺼냄으로서 독자를 아득한 전설의 세계로 이끈다. 시적주체는 낯선 이국에서 혼자 있다. 창밖에는 끊임없이 눈이 내리고 시적주체는 갇혀있는 상태이다. 마치 유폐된 듯한 시적주체는 외로움과 고통으로 점철되는 기다림의 과정 속에서 신화를 만들어낸다.

바람은 쌓인 '눈을 돌리고 다닐 뿐' 이다. 바람은 영靈을 상징하며 우주의 호흡을 상징한다. 또한 바람은 생명이다. 실체가 없고 잡아둘 수도 없지만 바람은 신들의 사자이며 신의 현존을 나타낸다. 개 한 마리 어슬렁거리지 않고 인적 없는 곳에 오직 자연과 신만이 시적주체와 대면하고 있다. 눈이란 존재는 내렸다가 곧 사라진다. 사라질 존재를 움직이게 하는 것은 신만이 할 수 있는 일이다. 곧 사라질 존재이지만 생명을 불러일으키고 싸르락 창을 두드리는 실체로 만드는 것도 신의 영역이다.

창이라는 문명의 틀 안에서지만 시적주체는 신화의 세계와 직접 조우한다. 시적주체는 '추워서 허리가 부러질 것' 같으면서도 신을 기다리고, 신화의 세계와 조우하기 위해 '창 앞에 떨어질 줄' 을 모른다. 또한 눈보라치는 추위에도 '문을 닫지 않' 고 '하얗게 지' 샌다. 급기야 시적주체는 신화 속 인물로 신화적 공간에 존재하게 된다. 하얀 산 같이, 하얗게 핀 들판 같이, 하얀 바위 같이 기다리는 자가 된다. 그러다 하얗게 눈이 멀고 하얀 재가 되어 '푸른 호수에 백발' 을 감고 있는 하얀 혼이 된다.

니체는 신화야말로 불안을 떨쳐버릴 수 있는 탈출구로 보았다. 폐쇄된

공간에서 기다리는 시적주체의 불안은 새로운 신화를 불러들인다. 가로막고 있는 산이 아니라 산이 곧 신이다. 얼어붙은 산은 어느덧 흰머리 신으로 바뀌고 푸른 호수에 머리를 감는다. 움직일 수 없는 거대한 고정된 실체가 아닌, 조화로움 속에서 움직이는 자연의 섭리로써 기능하는 것이다.

조형의 세계 즉 눈앞에 펼쳐진 호수와 산과 눈보라가 기다리는 사람을 오지 못하게 막는 하나의 물질세계라면 그 모든 것을 허무는 것은 영적인 세계이리라. 새로운 신화가 창조되어 디오니소스적인 세계가 펼쳐지는 것이다. 이에 아폴론적인 것과 디오니소스 적인 것의 조화로운 결합의 세계로 시적주체는 들어옴에 따라 위안을 얻고 불안을 극복하는 것이다. 거기까지 가는 데 기다림과 인내의 시간이 필요한 것은 당연한 일이리라.

위 시에서는 흰색 이미지가 지나칠 정도로 반복적으로 나오면서 신성함을 심화시킨다. '눈보라', '날리는 눈', '얼음호수', '쌓인 눈', '휘어진 자작나무', '백옥같이 환히 웃던', '하얀 발자국 소리', '눈보라', '하얀 산', '하얗게 핀 들판', '흰 바위', '눈이 하얗게 먼 천문가', '하얀 재', '하얗게 지새는 소리', '백발을 감고 있는 하얀 혼', '끝없이 내릴 눈', '호수 위에 내리는 눈' 등이다. 흰 색은 생명과 사랑, 죽음과 매장 양쪽 모두를 상징한다. 즉 생명과 죽음을 동시에 포함하고 있는 색인 것이다. 따라서 이 시는 죽음과 탄생, 생성과 소멸을 흰색 이미지를 통해 보여주고 있다. 또한 흰색은 종교적으로 주로 신성함을 상징하여 신성한 의식에 사용되는 색이다. 흰색은 신화를 창조한다. 신화의 공간에서 흰색은 신성함을 지닌 채 존재하는 것이다. 결혼식에서도 흰색은 옛날의 생명은 죽고 새로운 생명으로 다시 탄생함을 의미한다. 옛날의 내가 또 다른 나를 만나 결혼식을 올리는 것은 둘이 하나로 결합되어 새로운 우리가 되는 행위다.

흰색은 미분화 상태, 초월적인 완전성, 정결함을 나타내기도 한다. 분화되지 않은 세상은 모든 것이 불분명하지만 하나이다. 세상은 아직 알수 없는 하나의 상태이자 신화의 탄생을 기다리는 태초의 사건인 것이다. 그것은 어떠한 측면에서는 초월적인 완전성을 가지고 있는 상태이다. 미분화된 상태로 내재된 존재들의 에너지가 하나의 덩어리로 웅크리고 있는 단계, 그 단계가 차라리 완전한 세상일지도 모른다. 그러나 신화는 곧 창조될 것이다. 그래서 '산은 신'이 되어 백 '발을 풀어 호수에 머리를 감'는 것이다.

함성호 시 「푸른 호수 위에 ―흰 섬 하나」는 제목에서부터 푸른 호수와 흰 섬 하나를 배치하여 시각적 이미지를 선명하게 부각시키고 서정성과 함께 주제를 암시한다. 누군가를 기다려 본 적이 있는가. 위 시는 기다림의 미학을 통해 신화의 세계를 창조하여 자기 안의 자신과 조우함으로써 잠시 머무르다 사라지는 생태적 인간을 보여준다. 기다림의 인생을 긍정하며 자연인으로 우주의 조화에 몸을 맡기는 것이 시적주체가 인정하는 삶이기도 하다. 사실 기다림을 통해서 자신을 통찰하고 기다림의 대상과 만나는 것은 스스로가 해야 할 일이다. 신화 창조도 스스로의 몫이다. 신화 창조 과정의 고통을 인내하며 도달한 곳에서 우리는 생태적 인간으로 또는 조화를 관장하는 신이자 자연으로 존재하게 되는 것이다.

시뮬라시옹과 주이상스의 변증법

김서은 시

이미지는 존재 증명이다. 관념도 이미지를 통해 존재적 지위를 획득한다. 김서은 시는 자연언어로 사실적인 이미지를 보여주기보다는 심상적 이미지로 존재 증명을 한다. 현실적 이미지가 아닌 꿈속 이미지 또는 무의식의 이미지를 표현한다는 것은 말할 수 없는 것을 말하는 즉, 부재를 현존하게 하는 시의 기능 중 하나다.

일상성이 부재한 이미지의 내부에는 아이러니하게도 일상성이 무서우리만큼 강렬한 목소리로 존재한다. 김서은 시에 나타나는 비일상적 이미지는 부조리한 일상으로 인해 불안 초조 우울 신경쇠약 등이 트라우마로 작동한 시적주체가 비일상적 이미지 속에서 가상적 세계를 만들고 가상적 존재를 통해 극복 내지 위로의 작용을 한다. 요컨대 현실원칙의 지배를 받는 의식과 쾌락원칙을 추구하는 무의식이 상호 영향관계 속에서 구조화되는 것이다.

김서은 시에는 가상현실을 그리면서 욕망을 드러낸다. 현실원칙에 의해 억압된 쾌락원칙을 드러내긴 하지만 현실과의 화해는 쉽지 않다. 'Time line'은 연대표와 시각표를 나타내기도 한다. 역사상 발생한 사건을 연대순으로 배열하여 적은 연대표는 현실원칙의 지배하에 있다. 따라서 쾌락원칙이 환상적 이미지로 드러나는 김서은 시에서의 Time line은 IT에서 비디오 클립이나 오디오 클립을 순서대로 배치하는 작업 공간을 나타낸다. 레이어의 결합을 통해 화면의 이미지나 오디오를 배치함으로써 움직이는 애니메이션이나 음악을 만드는 것이다. 프리미어나 애프터 이펙트 등의 편집 프로그램상의 작업 공간을 나타내는 Time line은 꿈의 공간에 비견된다. 이미지를 선택하고 자르고 재구성하는 과정은 지그문트 프로이트Sigmund Freud가 말한 꿈작업Dreamwork과 일부 상통한다. 쾌락원칙Pleasure principle이 작동하는 꿈은 일직선상의 시간관을 파괴한다. 에로스와 타나토스가 뒤엉킨 비현실적 현상 또한 프로이트가 말한 꿈작업처럼 비현실적이거나 환상적 이미지로 드러난다.

아침을 꺼내려 골방으로 갔다 어떤 냄새를 맛본 것인지 새들이 날아가는 소리를 들었다 태아들이 아침의 맨살을 잡아당기고 있었다 회색 페인트 통이 쏟아지는 팔을 휘저으면서 엎질러졌다 구름 밖 다른 마을에선

똑같은 꿈을 꾸진 않는다 벽들이 꼬리를 끌고 별들은 사사로운 원근법으로 지난밤을 전송하지만 나는 나를 지우고 있다 형체를 갖지 못한 아침이

나의 몸을 공격한다 시간은 시간 속에 오롯이 존재하는 것일까 우리가 놓쳐버린 시간들이 사지를 점령한다 무단횡단 하고 있다 경계를 허물면서 잠간을 잠근 우리들의 텅 빈 오후 당신과 나는 삼인칭이다

– 「Time line」 전문

어둠이 지나고 아침이 오면 각 존재들은 빛을 매개로 자신을 시각적으로 드러낸다. 위 시의 시적주체에게도 존재를 일으켜 세우기 위해 아침이

필요하다. 그런데 아침이 저절로 오는 것이 아니라 시적주체가 '아침을 꺼내기 위해' 어떤 행위를 해야만 하는 것으로 설정이 되어 있다. 아침은 우주의 운행 원리인 자연 현상에 따라 저절로 해가 뜨면서 시작되는 것인데 이미 조화가 깨진 세계에는 태양을 억지로 꺼내야 하는 상황이다. 시적주체는 어딘가에 있어 나오지 않는 아침을 꺼내려고 시도한다. 더 무거운 이미지로 시적 분위기를 조성하는 것은 아침이 골방 속에 있다는 것이다. 골방 속에 있는 태양은 결코 진정한 아침을 여는 태양 빛이 아니다. 시적주체는 그런 아침을 스스로 만들어야 하는 실존적 상황 속에 마르틴 하이데거Martin Heidegger가 말했듯이 내던져져 있는 것이다.

시적주체는 골방으로 갔으나 아침을 바로 꺼내는 것이 아니라 또 다른 존재를 인식한다. 이때의 존재 인식은 시각적 인식이 아니다. 단지 소리를 통해 새라는 존재를 인식한다. 새가 날아가는 소리를 들었을 뿐이다. 소리를 통해 인식한 새의 존재는 환청을 통한 환상일지도 모른다. 새가 날아가는 이유 또한 눈에 보이는 현상을 보고 나는 행위로 반응한 것은 아니다. '어떤 냄새'를 맡았을지도 모른다고 시적주체는 추측을 하는데 존재의 파닥임을 후각에 기댄다. 후각에 의한 존재 인식으로 새는 날아가는 것이다. 결국 그 새가 날아가는 이유 또한 환각이며 환상일지도 모른다.

장 보드리야르Jean Baudrillard에 의하면 실재는 이미지와 기호의 안개 속으로 사라진다. 실재는 존재하지 않아도 환상적 이미지에 의해 존재들은 반응을 한다. 실재는 안개 속에 묻혀 있고 오히려 실재가 아닌 환상적 이미지를 진실로 알고 존재들은 욕망하고 반응한다. 위 시에서도 실재는 눈에 보이지 않고 안개 너머에 있다. 각 존재들은 냄새를 맡고 소리만을 듣고 반응을 하는 것이다. 실재를 넘어서는 이미지는 실재를 묻어버린다. 비실재하는 가상적 이미지가 오히려 존재감을 가지고 실존한다. 그러한 환상의 배후에는 무엇이 있을까? 만족하지 못하는 현실, 꿈과 현실의 부조화 등이 또 다른 환상을 만드는 요인이 된다.

그렇다면 실재는 과연 존재하는가. 환상에 의해 안개 속에 묻혀 있는 실재는 과연 진실인가. 시뮬라크르Simulacre는 진실을 감추는 것이 아니라 진실이야말로 아무 것도 존재하지 않는 사실을 숨긴다는 것이 옳은 표현인지도 모른다. 아침은 과연 진실한가. 환상 속에서 새로운 이미지로 구성되는 아침은 진실한가. 실재에 대한 진실을 이미 인정하지 않는 시적주체는 골방에서 아침을 찾을 뿐이다. 뿐만 아니라 부조리한 현실은 공포를 낳고 그로테스크한 이미지를 낳는다. 열리지 않는 아침을 열기 위해 '태아들이 아침의 맨살을 잡아당기고 있' 다. 태아는 어머니 자궁 속에서 이 세상에 존재를 드러내기 위해 기다리는 어둠 속 존재이다. 태아의 아침은 우주의 운행원리에 따라 십 개월이 지나면 저절로 열린다. 그런데 이 세상에 아직 실존하지 않는 태아가 이미 쉽사리 오지 않는 아침을 인식하고 있다. 그래서 태아들이 직접 아침을 꺼내려고 '아침의 맨살을 잡아당기고 있' 는 것이다.

모든 존재는 가면을 쓰고 있다. 그 가면은 환경에 적합하게 생존하기 위한 수단이며 생존본능이다. 각 존재들은 어떤 환경에 있느냐에 따라 다른 가면을 쓰고 다른 옷을 입는다. 즉 생존의 바깥은 옷이고 탈이다. 페르소나Persona는 아침이라는 현상에도 적용된다. 아침은 스스로의 존재를 안개 속에 감춰두고 타인을 통해서 드러낸다. 즉 타인을 드러내주는 것으로 자신의 존재를 드러낸다. 태아들은 아침의 맨살을 잡아당긴다. 아침의 진실과 만나기를 원하기 때문이다. 페르소나 없는 진실. 태아 또한 아직 존재의 탈을 쓰지 못해서 실존하는 상황이 아니기 때문에 어떤 측면에서 더 순수하고 진실하다. 언어가 존재의 집임과 동시에 의미를 계속 지연시켜 진실을 알 수 없게 만드는 것처럼 페르소나는 우리가 알고자하는 타인의 진실을 지연시키고 미끄러지게 한다. 아침의 맨살과 만나고자 하는 태아는 페르소나를 부정하기에 결국 '회색 페인트 통이 쏟아'진다.

페인트는 하나의 페르소나다. 사물이 가지고 있는 원래의 모습을 도포하여 존재의 맨살을 덮어버리기 때문이다. 페인트는 시뮬라크르를 양산시키는 매개이다. 페인트로 도포된 새로운 이미지는 실재가 없는 기호이며 환상적 이미지로 실존한다. 이러한 시뮬라크르에 대한 거부로 페인트 통이 쏟아지지만 또 다른 가상현실이 만들어진다. 현대 사회는 시뮬라크르가 실재를 대신하여 진실인양 역할을 하고 있는 경향이 있다. 진실인줄로 스스로 착각하고 있는 시뮬라크르의 가상적 이미지 또한 어쩔 수 없는 자신의 부재를 거부한다. 그래서 '팔을 휘저으면서 엎질러' 진다. 이렇듯 모든 존재는 실재적이고 사실적인 이미지이건 비실재적이고 환상적 이미지이건 실존하기 때문에 그 어느 존재도 부정할 수는 없다. '구름 밖 다른 마을에선//똑같은 꿈을 꾸진 않는' 것이 당연하다.

가상이 실재를 대신하는 상황은 존재와 존재간의 관계를 왜곡시킨다. 발가벗은 본질과 실존 사이에 틈과 거리가 있고 가상은 진실을 차단하는 벽으로 작동한다. 실재가 감추어진 채 시뮬라크르를 진리로 오인하는 것은 각각의 존재가 하나의 벽이기 때문이다. 벽 안의 인간은 소외를 경험한다. 벽 안에 갇힌 실재의 외로움은 환상을 진실이라고 믿고 욕망하지만 결국 욕망은 미끄러지고 또 다른 환상을 쫓기 때문에 사실상 각각의 존재들은 엄청난 두께의 벽을 두른 채 살아간다. 아무리 눈을 비비고 진실을 바라보려고 해도 '벽들이 꼬리를 끌고' 둘레를 치고 두꺼워진다.

이는 별의 존재와 별반 다르지 않다. 별은 자신의 빛과 무게를 감추고 단지 가벼운 빛으로 하늘에서 반짝인다. 별들은 맨살을 드러내지 않는다. 별들은 자신의 실재로 존재를 드러내지 못한다. 빛나는 페르소나를 쓰고 시뮬라크르로 존재를 드러낸다. 별들의 실존은 별빛 뒤에 심오한 실재를 감추고 실재의 부재를 감춘다. '별들은 사사로운 원근법으로 지난밤을 전송' 할 뿐이다. 실재가 아닌 환상이 만들어낸 허구의 사사로움은 시적 주체에게 캄캄한 밤일뿐이다. 지금 여기에 실존하지만 멀리서 존재의 실상을 감추고 묵묵히 있는 실재. 그것은 그로테스크한 시뮬라크르의 존재 실상이다. 따라서 나 또한 '나를 지우고' 존재한다. 나의 실재는 지워져 있다. 매일 옷을 입고 인공적 이미지인 특이한 아침을 직접 꺼내야 아침이 오는 현실 속에 놓여 있다. 나의 진실은 낯설다. 진실은 무의식에서 존재하는 것인지도 모르기 때문이다. 그러니 사물들이 온전한 이미지로 존재한다는 것은 불가능하다. 초현실적인 이미지들이 현실 속에서 마치 실재인 듯 존재하기에 시적주체가 아무리 아침을 꺼내려고 애를 써도 온전한 '형체를 갖지 못한 아침이' 있을 뿐이다.

이러한 시뮬라크르의 세계는 '나의 몸을 공격한다.' 시뮬라크르의 세계는 만족을 안겨주는 것 같지만 계속 실재를 왜곡시키므로 존재의 요건인 시간마저 왜곡된다. 진정한 존재성으로 실존한 시간이 과연 얼마나 될까. 시뮬라시옹Simulation화 된 존재의 환상적 이미지는 복재된 이미지를 만들어가고 결국 존재하는 이미지는 실재와는 아무 상관없이 독자적인 시뮬라크르가 된다. 이러한 시뮬라시옹의 세계 내 시간은 온전한가. 시간 또한 존재 증명이다. 시간 속에 있을 때 우리는 존재한다. 그런데 시간은 연속적인 이미지로 존재하지 않는다. 진실하지 않는 존재로 살아온 시간도 각 존재의 시간일 수 없다. 실체 없는 이미지들이 만들어가는 실체 없는 시간은 연속적인 시간을 절단하고 시간과 시간 사이에 벽을 만든다. 그 벽을 통해 존재들은 실재를 잃기 때문에 '시간은 시간 속에 오롯이 존재하'지 않는다.

놓쳐 버린 시간은 실존한 시간이 아니다. 진실을 외면당하고 놓쳐버린 시간들이 급기야 '사지를 점령'하여 존재 증명을 하려고 한다. 그것은 이미 무단이다. 이미 가상현실을 벗어날 수 없는 존재 간 경계를 허물어보려고 애를 써보지만 우리들의 오후는 '텅 비어' 있을 뿐이다. 실재와 실재의 거리는 멀고 '당신과 나는 삼인칭'일 뿐인 것이다.

  햇살 얼어버린 겨울이 왔어 음악은 익어가고 당신들 옆구리로 시나 쓰고 있어
  나는 시시한 장미꽃의 행간을 읽으면서 흘끗, 나비넥타이 그 남자를 훔치고 있지

  햇살 거품이 부드럽게 쏟아졌어 찻잔 속에 출렁이는 갓 볶은 커피 냄새 그 단
  어들을 허겁지겁 삼켜 버렸지 눈으로 먹는 커피는 그 남자의 손끝에서 활짝 피고

  향으로 마시는 걸까 스타벅스의 모닝커피는 짧은 문장으로 휘날렸지 핏물이
  흐를 것 같은 투명한 문이 열리고 향이 그 남자를 훔치고 있어

  스타벅스가 있는 모퉁이 꽃잎조명들 사이 푸른 면도날 윤나는 그 남자가 있
  었고 시나 쓰는 긴 머리 여자, 창문에 비치는 나의 아침이었어

  – 「바리스타」 전문

언어가 무의식을 드러내고 구조화되는 방식인 꿈은 결핍에 대한 욕망이다. 김서은 시는 이러한 욕망을 이미지로 표현하여 억압당한 욕망에서 자유로워진다. 그런데 욕망은 계속해서 미끄러지고 의미 또한 미끄러진다. 은유나 환유로 표현된 이미지도 절대적이고 완전한 소통은 불가능하

다. 잉여로 남은 것은 환상으로 존재하게 되고 끊임없이 의미를 찾고 생성하기를 거듭한다.

꿈은 마음속에 있는 욕망이나 감정들이 표상들과 결합해서 나타난다. 꿈이 어떤 이미지로 나타난다 할지라도 현실을 반영한 것이다. 심상적 이미지를 묘사하거나 영상조립 이미지를 묘사하는 현대시는 꿈의 재현력과 닮아 있다. 꿈이 현실을 왜곡하듯 김서은의 시도 현실이 왜곡된 상태로 드러난다. 현실원칙에 의한 검열을 피하기 위해서다. 왜곡은 의도적인 위장 수단으로 소원성취인 꿈을 통해 일부만을 제한하여 표현되거나 암시로 말하거나 위장하고 은폐한 상태로 표현된다. 요컨대 꿈에서 새로운 시간과 공간이 만들어지고 현실 경험과는 다른 새로운 인과 관계를 만드는 것처럼 김서은 시에서도 그러한 양상으로 시인의 소망이 표현된다.

현대인에게 커피는 일상을 열고 관계를 생성하고 일상의 나른함을 일깨우는 역할을 한다. 그럼에도 불구하고 사실상 커피 본질을 마시는 게 아니라 광고를 통하거나 타인을 통해 커피 이미지를 마신다. 실재적인 커피 본질보다는 세계적인 커피 브랜드 이미지를 마시고 유명한 커피점 이미지를 마신다. 미디어 광고의 주인공이나 욕망하는 타인의 거울이 되어 욕망하는 커피 이미지를 마시는 것이다. 바리스타는 즉석해서 커피를 만들어 주는 전문가로 고급 커피와 함께 매력적이고 환상적 이미지를 어느 정도 가지고 있다. 위 시 「바리스타」 또한 환상적 이미지와 시뮬라크르를 통해 존재에 대해 성찰하는 시다.

위 시의 배경은 겨울이고 아침이다. 김서은 시인에게 아침은 현실의 부조리함을 표현하는 도구로 사용된다. 시의 도입부에 이미 따뜻해야할 햇살은 '얼어버린' 상황으로 제시되어 추운 현실을 직접적으로 보여준다. 추운 겨울 아침에 시적주체는 커피전문점에서 바리스타를 응시하면서 자신의 존재를 드러낸다. 존재는 타인에 의해 드러난다. 바리스타라는 존재는 시적주체의 응시에 의해 드러나고 바리스타의 존재를 세우면서 시적주체의 존재도 함께 세워진다. 문제는 세워진 존재가 존재의 실상을 드러내는 진실한 이미지인가이다.

모든 응시는 타자에 대한 응시다. 거울을 통해 보는 자아도 비춰진 가상 이미지이기 때문에 타자이다. 자아가 바라보는 다른 대상도 타자이다. 타자를 보면서 자아를 상상하고 타자와 나를 동일시한다. 바라보는 타자의 이미지가 가짜 이미지이듯 자아도 가짜 이미지로 타자를 바라본다. 타자와의 관계는 이렇듯 상상 속에서 환상적으로 맺어지는 관계다. 이러한 환상적 관계 맺음은 의식과 무의식의 접점에서 새로운 이미지를 만든다. 부재로 가득한 존재의 응시는 동일시와 대립의 변증법적 관계 속에 있다. 요컨대 타자라는 거울을 통해 일으켜 세워진 존재는 결국 환영이다.

얼어버린 햇살이 비치는 커피점에서 시적주체는 음악을 듣는다. 얼어버린 햇살 이미지는 시적주체의 거울이다. 즉 진실이 얼어버린 현실에서 음악은 환상적 이미지로 익어간다. 음악을 듣고 있는 동안 시적주체는 존재의 실상을 바로 보기 위해 시를 쓴다. '당신들 옆구리'는 진정한 존재를 꿈꾸는 심리 상태를 보여준다. 존재의 본질을 탐구하고 깨달음을 얻은 석가는 마야부인 옆구리에서 나온다. 즉 시적주체는 타자로서의 자아가 아닌 참 자아를 상징하는 존재론자로서의 시를 쓰고 싶은 것이다. 하나의 의미심장한 시가 탄생하는 것은 사실 하나의 환상 즉 가상 이미지를 만드는 것이다. 가상을 통해 존재가 가상임을 증명하기도 한다. 가짜를 가짜라고, 환상을 환상이라고 가상을 통해 보여주기도 하는 것이 시다. 환상을 보여주고 환상을 지각하여 주이상스jouissance를 통해 환상에서 자유로워지는 것이 시다.

시적주체는 '시나 쓰고 있다'라고 표현한다. 시인의 실존의식은 세계의 허구성을 드러내고 진정한 삶을 추구하지만 환상과 허구로 흘러가는 자본주의 현대사회에서 시인은 돈으로 환산되지 않기 때문에 무용지물로 취급될 수도 있다. 그런 취급을 하는 사람 눈에 시를 쓰는 행위는 '시나 쓰는'에 불과하다. 시적주체는 현대 세태에 대한 비판과 더불어 시의 중요성을 역설적으로 표현한다.

꽃인 장미는 복합적이고 모순적이며 다양한 이미지를 가지고 있다. 시간과 영원, 생명과 죽음, 아름다움과 생명의 신비를 나타기도 하지만 관능과 유혹을 비롯하여 비밀 또는 우주를 나타내기도 한다. 장미꽃에 덧입혀진 무수한 이미지들은 환상성을 통해 끊임없이 의미를 생성한다. 장미의 실체는 무엇인가. 장미와 또 다른 장미의 행간은 의미들로 빽빽하여 상징이 상징을 낳고 환상의 씨들이 흩뿌려져 있다. 환상의 허구성을 알아버린 시적주체는 장미꽃의 수많은 시뮬라시옹을 '시시'하게 읽는다.

그런 가운데 눈앞에 실존하는 나비넥타이 바리스타라는 또 하나의 타자를 본다. 시적주체는 나비넥타이 남자를 바로 응시하는 것이 아니라 흘끗 '훔쳐본다'. 훔쳐보기는 사실 근대성이나 현대성을 대변하는 사건이다. 미셸 푸코Michel Foucault가 통치형태로 본 원형감옥Panopticon의 감시와 처벌이 아니더라도 현대는 감시카메라가 즐비하고 존재자들은 감시체계 내에 살아간다. 은밀히 말해서 존재성이 타자에게 노출된 상태로 살아간다. 몰래카메라가 성행한다. 망원경으로 먼 곳에 있는 사람도 몰래 훔쳐보고 핸드폰 카메라로 훔쳐보고 최근에는 드론으로 공중에서 훔쳐본다. 이러한 타자 훔쳐보기는 텅 빈 자아의 허기를 채우기 위한 욕망의 방편이기도 하다. 훔쳐보기라는 욕망과 환상을 통해 자아를 타자로 채우려고 한다. 하지만 훔쳐보는 거울에는 구멍이 있어 오히려 응시당하는 자아는 결국 소외된 잉여를 채울 수는 없다.

시적주체는 얼어버린 햇살을 경험하였으나 바리스타라는 환상 거울을 통해 현실에서 부재하는 햇빛을 욕망한다. 바리스타가 즉석에서 만드는 커피의 거품에서 부재하는 햇살을 상상하고 햇살 거품이라는 환영을 본다. 햇살 거품이 부드럽게 쏟아지는 행간에서는 출렁이는 갓 볶은 커피 냄새를 본다. 시적주체가 욕망하던 환상이 포착되는 순간 시적주체는 '그 단어들을 허겁지겁 삼켜 버'린다. 시적주체는 이미지를 욕망하고 지배하고 삼키면서 주이상스를 즐긴다. 이미지는 표상이고 언어로 나타난다. 언어는 욕망의 다른 이름이기도 하기에 시적주체는 단어들을 삼키는 것이다.

시적주체가 삼킨 것은 감각이기도 하다. 선불교禪佛敎의 제법공상諸法空相을 알아서 오온五蘊을 삼켜버린 것과 같다. 자아를 구성하는 것들도 색즉시공 공즉시색色卽是空 空卽是色이다. 따라서 시적주체는 커피를 실제적으로 마신 것이 아니다. 바리스타가 만드는 커피를 직접적으로 마시는 것이 아니라 시각으로 마시기 때문에 커피는 아직 바리스타 손끝에서 활짝 필뿐이다. 후각이 만든 환상적 커피 이미지는 환상적인 바리스타와 커피 이미지에 덧입혀져 햇살 얼어 있는 아침에 환각을 불러일으킨다. 즉 추운 현실을 감각적 환상으로 대체하여 환상을 즐김으로서 현실적 고통을 주이상스로 전이시킨 것이다.

스타벅스라는 환상은 현실의 고통을 마취시키지 않기에 시적주체는 '스타벅스의 모닝커피는 짧은 문장으로 휘날렸'다고 진술한다. 현실은 곧바로 엄습한다. 환상 공간인 스타벅스를 벗어나면 시적주체에게 현실은 피비린내 나는 곳이다. 즉 스타벅스의 바깥 현실과 실내 사이에 있는 경계인 문만 보더라도 '핏물이 흐를 것 같은 투명한 문'인 것이다. 투명한 문이기 때문에 문은 거울 역할을 한다. 투명한 문은 피가 난무하는 현실 세계를 비추고 있다. 핏물이 흐를 것 같은 문을 열고 사람들은 환상세계를 꿈꾸고 들어온다. 햇살거품으로 행복을 줄 바리스타라는 존재는 어떤가. 향이 훔치고 환상을 꿈꾸는 사람들이 훔치는 욕망의 대상이다.

부재하는 대상이나 상황은 응시하는 대상을 욕망의 원인으로 만들고 환상이미지로 나타난다. 이것은 쾌락원칙 너머에 있는 죽음 충동을 욕망한다. 스타벅스의 환상은 타나토스의 욕망이며 쾌락이며 부재에 대한 복수이며 소멸에 대한 욕망이다. '스타벅스가 있는 모퉁이 꽃잎조명들 사이'에서 어떤 존재가 실재할 것인가. 얼어버린 햇살의 부재를 꽃이라는 화려한 허구, 조명이라는 화려한 환상으로 채울 수 있을까.

'시나 쓰는 긴 머리 여자'는 '푸른 면도날 윤나는 그 남자'를 통해 주이상스를 본다. 거울을 통해 자아에 대한 인식과 더불어 내 안의 타자를 인식하지만 끊임없는 응시를 통해 환상을 만들뿐만 아니라 타자에게 응시를 당하므로 자아는 사물이 된다. 현실을 벗어나기 위한 욕망이 빚어낸 환상이미지에서 어떻게 벗어날 것인가. 시적주체는 '창문에 비치는 나의 아침이었어'라고 정확하게 현실을 인식하고 있다. 현실에 대한 인식과 환상에 대한 인식을 정확히 파악하고 있는 것이다. 환상에서 벗어날 자리도 알고 있기 때문에 현실적 고통에서 허덕이지도 않고 환상적 이미지에 매몰되지도 않는다. 요컨대 주이상스를 즐긴다.

김서은 시에서 환상적 이미지를 응시하고 주이상스를 통해 자유를 추구하는 것은 「절벽을 쓰다」에서도 나타난다.

절벽 위에서 절벽을 본 적 있다 갈피 속을 튀어나온 눈알들이 절벽을 보고 있었다 오랜 금서를 훔쳐본 그림자들이 소용돌이치는 수평선이 손발을 흔들고 있었다. 빗줄기 위에 햇살, 내 몸 속으로 잠수하는 절벽들이 빗줄기 되어 흐르고 절벽의 얼굴이 흐르고 먹색 망토 밖을 아니 절벽의 둔부가 절벽의 맨발이 햇살로 타오르는 밤, 무성한 절벽들이 무수한 절벽을 흐르고 있다 갈피마다 한 장의 절벽이 내게 왔고 내가 허공을 빨아들이고 있었다 한 컷의 배후를 생각하는

　나의 기록을 배후라 하면 가능할까?

　살아나지 않는 언어들이 절벽의 책장을 쥐고 있었다

－「절벽을 쓰다」 전문

'절벽 위에서 절벽을 본 적 있다'고 시적주체는 고백한다. 절벽 아래에서 까마득한 절벽을 보는 것이 아니라 이미 절벽에 올라간 상태에서 절벽을 내려다보는 것이다. 위 시에서 나타나는 응시는 자아와 세계를 성찰하고 읽기와 쓰기에 대해 성찰하는 눈으로 표현된다. 그 눈은 세상에 존재하는 눈이 아니라 '갈피 속을 튀어나온 눈알들'이다. 갈피 속에서 나온 눈들은 '오랜 금서를 훔쳐본 그림자들'이기 때문에 이미 보이는 현상 너머를 알고 있는 눈알들이다. 이 눈알이 '절벽을 보고' 있기 때문에 절벽은 이미 절벽이 아니다. 시적주체는 세상에서 마주하는 절벽이라는 허구를 이 시를 통해 폭로한다.

　수직 절벽이라는 이미지의 허구성은 수평선이라는 수평 이미지의 허구성을 동시에 드러낸다. 수평선이 안정된 상태로 존재하는 것이 아니라 '소용돌이치는 수평선이 손발을 흔들고' 있다. 뿐만 아니라 「Time line」이나 「바리스타」에서 일관되게 추구하는 빛의 이미지가 이 시에서도 긍정적인 측면에서 중요한 기제로 나타난다. 금서를 훔쳐보고 절벽 위에서 절벽을 보면서 절벽이라는 이미지의 허구성을 아는 시적주체는 '빗줄기

위에 햇살'을 볼 줄 안다. 빗줄기를 내리는 구름 위에는 태양이 있고 비가 내리고 나면 햇살이 가득 내릴 것임을 시적주체는 이미 안다. 아무리 '내 몸 속으로 잠수하는 절벽들이 빗줄기 되어 흐'른다고 할지라도 시적주체는 이미 진실한 '절벽의 얼굴'을 알고 있다. '절벽의 둔부'나 '절벽의 맨발' 뿐만 아니라 '검은 망토' 너머에도 햇살이 타오르고 있다는 것을 알기 때문에 밤이 내뿜는 어둠의 허구를 안다. 밤은 수많은 빛을 품고 있기 때문이다.

그럼에도 절벽은 절벽의 이미지로 다가온다. 시적주체는 '무성한 절벽들이 무수한 절벽을 흐르고 있'음을 본다. 삶의 매 갈피마다 '한 장의 절벽이 내게' 온다. 매번 다가오는 절벽으로 무엇을 할 것인가. 시적주체는 절벽에서 허공을 본다. 세계에 있는 수많은 절벽을 바라보면서 절벽의 '배후를 생각'한다. 절벽을 형성시키는 인간의 욕망은 허공처럼 공한 것이기에 시적주체는 글쓰기를 '배후라 하면 가능할까?' 하고 묻는 것이다. 세상은 인연법에 의해 생성되고 소멸되기 때문이기에 배후가 없는 절벽은 없다. 그런데 그 절벽의 배후를 시적주체는 다 기록할 수 있을까. 그것은 불가능하다. 진실은 불립문자不立文字다. 요컨대 시적주체가 다 기록하지 못하는 진리는 '살아나지 않는 언어들'이고 절벽을 벗어나지 못하는 언어들이어서 '절벽의 책장을 쥐고 있'는 것이다. 절벽의 진실을 아는 눈이라 하더라도 언어로 기록하는 진리 전달은 의미가 미끄러진다. 이런 의미에서 시적주체는 언어의 절벽에 있는 것인지도 모른다.

머리를 풀고 당신을 풀어헤치고 구름이 쏟아지네 소금기 허연 얼굴이 탱탱하게 부풀은 걸 보고 있네 누군가 내 몸을 어둠 한 자락을 구름 위에 펼쳐 놓았네 구름이 가볍다는 당신 축제는 아직, 밤 12시가 넘지 않았어. 당신은 당신을 통과한 후 먼 곳으로 날아가 버렸지 다른 세상을 떠돌던 나는 괴물이 되어 혓바닥을 빈 접시 위에 쏟아내고 있었지 달구어진 화 젓가락으로 찍어 세상 밖으로 던져버리고 싶었던 거야 손바닥으로 허공을 슥슥 닦아내던 천개의 눈알들이 어둠의 페이지를 들여다보는, 어제는 어제의 광막한 광야 속으로 두꺼워지고 있었네

꿈이 줄줄 새는 비루한 풍경들 한 장 한 장 또렷한 저 가파른 구름의 비탈!

— 「인스타그램」 전문

응시에 대한 김서은의 사유는 「인스타그램」에서도 나타난다. 인스타그램Instagram은 '인스턴트Instant'와 '텔레그램Telegram'이 더해진 단어로 '세상의 순간들을 포착하고 공유한다Capturing and sharing the world's moments'라는 슬로건을 내걸고 사진 및 동영상을 공유할 수 있는 소셜미디어 플랫폼이다. 하루 평균 인스타그램에 '좋아요' 수는 25억개를 넘는다고 하니 현대인이 이미지에 얼마나 큰 영향을 받고 있는지를 말해준다.

이미지를 공유하는 실재의 사람과 그 이미지의 실재는 모르지만 인스타그램에 올려진 가상적 이미지에 사람들은 열광하고 좋아요를 누른다. 좋아요를 누르는 행위도 자신의 존재를 증명하려는 욕망이다. 누군가에게 보여주기 위해 올리는 이미지는 올리는 자신의 존재를 증명하기 위해 올리는 것이지만 결국 자신의 텅 빈 구멍과 부재를 증명하는 것이다. 이미지도 기호이기 때문에 진실을 왜곡한다. 인스타그램은 환상적 이미지에 환호하고 욕망을 배설하는 현대인의 속성과 맞물려 있다.

이미지를 보여준다는 것은 자신의 일부를 드러내는 것이기도 하다. 시적주체는 인스타그램을 '머리를 풀고 당신을 풀어헤치고 구름이 쏟아'진다고 표현한다. 머리를 풀어헤친다는 것은 슬픔이나 죽은 자에 대한

애도를 뜻하는데 이것은 이미지 속에 감추어진 실재의 죽음을 뜻한다. 실재는 죽었으니 구름은 허구적 존재를 나타낸다. 구름이 떠 있는 것은 환상과 같은 것이다. 뜬구름은 언젠가 쏟아져 내리고 허공만 남는다. 구름은 '가볍'고 곧 사라질 하나의 '축제'와 같다. 인스타그램에서 시적주체도 구름이거나 구름 위에 펼쳐져 있다.

인스타그램에 올린 이미지는 허구적 이미지로 삭제하지 않는 한 영속성을 지닌다. 사진 속의 실재가 죽거나 소멸한다 해도 사진 이미지는 그대로 존재한다. 실재 이미지와 전혀 상관없이 존재하고 활동하는 시뮬라시옹처럼 사진 이미지는 삭제하지 않는 한 인스타그램 안에서 불멸이다. 소금은 불사를 상징하기도 한다. 불멸은 그로테스크한 것이다. 생로병사의 이치가 우주 운행원리인데 사라지지 않고 이미지로만 존재 증명을 하고 있는 것은 끔찍하기도 한 것이다. 시적주체는 마치 '소금기 허연 얼굴이 탱탱하게 부풀은' 것으로 인스타그램 이미지를 그로테스크하게 본다. 이미 사라지고 없는 현실은 당신이 '당신을 통과한 후 먼 곳으로 날아가 버'린 것과 같은 것처럼 혼돈스럽다.

환상적 이미지는 보이는 것과 보이지 않는 것 사이의 뒤엉킴을 안고 있다. 욕망과 허무가 뒤엉켜 있고 소멸과 생성이 뒤엉켜 있다. 이미지는 시공을 넘어 존재한다. 그래서 이미 존재하지 않는 시간에 열광하는 사람들은 다른 세상을 떠돌던 내가 '괴물'이 되어 버린 것처럼 이미 진실을 잃어버린 괴물로 존재하는 것인지도 모른다. 끊임없이 이미지에서 또 다른 이미지로 부유하며 인스타그램을 서성인다. 이미지에 대한 거대한 욕망은 무엇인가를 핥고 삼키는 속성을 가지고 있다. 인스타그램을 부유하는 시적주체는 스스로를 '혓바닥을 빈 접시 위에 쏟아내고 있'다고 탄식한다. 시적주체는 시뮬라시옹의 부조리를 알기에 허구적 이미지를 욕망하고 허구적 언어를 욕망한 헛바닥을 소멸시키고자 하는 강한 의지를 끔찍한 방법 즉, '달구어진 화 젓가락으로 찍어 세상 밖으로 던져버리고 싶' 어한다.

응시는 빛과 불투명의 유희이기 때문에 '손바닥으로 허공을 슥슥 닦아내던 천개의 눈알들이 어둠의 페이지를 들여다' 본다. 인스타그램은 타자의 욕망을 보고 내 욕망을 동일화시킨다. 타자의 욕망은 허공에 뜬 구름과 같아서 허무한 것이기에 손바닥으로 허공을 슥슥 닦는 것이다. 이제 환상의 허구를 안 천개의 눈알은 어둠의 페이지를 들여다보고 보이지 않는 것의 진실을 발견한다. 이것은 자아를 욕망에서 해방시키는 것이다. 부조리한 현실과 환상적 이미지를 넘어서 무의식 속에서 자아를 발견하는 것이다. 언어들은 주이상스와 결합하여 '어제의 광막한 광야' 와 '비루한 풍경들' 과 '가파른 구름의 비탈' 을 자유자재로 즐길 줄 알아야 한다.

환상적 이미지를 통해 현실 비판 의식을 드러내는 김서은 시는 「노이즈 마케팅」에서도 나타난다. 노이즈 마케팅은 상품광고를 목적으로 자신들의 상품을 각종 구설수에 휘말리도록 함으로써 오히려 소비자들의 이목을 집중시켜 판매를 늘리려는 마케팅 기법이다. 사람들은 이러한 속임수에 휘말려서 영화를 보고 상품을 구매한다. 이미지의 허구성을 이용하여 실리를 추구하는 현대의 한 특징은 시뮬라시옹에 현혹되는 되는 것과 같은 맥락이다.

앵글처럼 팡팡 터지는
어느 별 어느 섬을 돌아 온 거니

심장을 솟구치는 수액들을

키우기로 작정한 거야
파노라마처럼 한 주머니씩

음악이 익어가는 지붕 위에서 안녕

혓바닥들이 기억나지
바퀴와 지느러미 없이도 녹아내리던 거짓말을

보내고 싶지 풋볼같이 햇살 한 스푼도
치사량이 된 웃고 울던 날들
종로에서 광화문으로 세상은

날마다 변신 중이지 하루를 훔치러 온
당신은 또 다른 나인지도 몰라

이유 없이 봄날은 가고
일그러진 얼굴들을 던지면서 쇼핑 하고 있어
안녕하지

아직
소파에 누워 있어
뒤뚱거리는 오후는,

– 「노이즈 마케팅」 전문

허구적 이미지에 현혹되어 존재성을 잃은 채 살아가는 현대인들은 노이즈 마케팅에 속아 소비를 욕망하고 마케팅 되고 있는 상품을 구매한다. '앵글처럼 팡팡 터지는' 노이즈 마케팅의 전략에 시적주체는 '어느별 어느 섬을 돌아 온 거' 냐고 묻는다. 노이즈 마케팅 또한 실재는 사라지고 시뮬라시옹이 존재들을 움직이게 하는 실상이기에 시적주체는 이를 비판한다. 이 시는 시니컬한 화법을 사용하여 문제적 증상을 경쾌하게 폭로하면서 주이상스를 즐기기도 한다. '심장을 솟구치는 수액들을/키우기로 작정한' 것처럼 시뮬라시옹을 '파노라마처럼 한 주머니씩' 가지고도 주이상스를 통해 자유를 누린다.

예술가의 영혼 속에 잠재된 작품은 자연의 힘으로 폭력이나 인간의 사적 운명에 아랑곳없이 자연의 미묘한 책략으로 목표를 달성한다고 한 융의 말처럼 자율적 콤플렉스가 김서은 시에도 나타난다. '치사량이 된 웃고 울던 날들/종로에서 광화문으로 세상은' 우리의 집단 무의식 속에서 '날마다 변신 중'인지도 모른다. '하루를 훔치러 온 당신은 또 다른 나'이기 때문이다.

노이즈 마케팅은 '음악이 익어가는 지붕 위에서 안녕'이라고 할 때 마치 실재와 이별하는 것과 같다. 노이즈 마케팅을 하는 자들의 혓바닥은 '바퀴와 지느러미 없이도 녹아내리'는 거짓말을 하지만 사람들은 거짓 마케팅에 넘어간다. 가상을 실재로 믿고 행동하는 것이다. 시적주체는 '이유 없이 봄날은' 간다고 말하지만 노이즈 마케팅에 의한 진실한 영혼이 죽어가는 인과를 정확하게 보여주고 있다.

김서은 시 「Time line」외 4편은 부조리한 현실에 대한 비판의식을 내면에 깔고 있다. 요컨대 김서은 시는 진실이 왜곡된 시뮬라시옹을 넘어 또 다른 가상적 이미지를 생성해낸다. 이를 통해 부조리한 현실을 위로 받고 현실 이미지 이면의 진실도 드러낸다. 따라서 김서은 시에 나타나는 비일상적 이미지는 비생태적이고 부조리한 일상으로 인해 불안, 초조, 우울, 신경쇠약 등이 트라우마로 작동한 시적주체가 비일상적 이미지인 가상적 세계를 만들고 주이상스를 통해 현실을 극복하는 역할을 한다. 김서은 시는 시뮬라시옹의 세계와 주이상스의 변증법을 환상적으로 배치하여 진실이 뭔지를 성찰하게 한다는 점에서 의미심장하다.

제2부

삶과 죽음을 바라보는
생태적 시선

혼불, 삶과 죽음을 초월한 축제의 장

백수인 시

들판에 외따로 있는 집, 왁자지껄한 혼인 잔치가 끝나고 밤은 검은 저수지처럼 깊어졌다 어린 나는 어른들의 발걸음을 좇아 졸음 섞인 좁은 길을 걷고 있었다 밭고랑 옆 돌담을 돌 때 건너 산등성이 넘어 넘실넘실 날아오는 사발만한 불덩이가 보였다 그 때 누군가 가볍게 외쳤다 '혼불이다~' 꼬리를 흔들며 출렁출렁 재 너머로 날아갔다 혼불이 나가면 마을에 초상이 난다고 했다

아직 동도 트지 않은 카파도니아의 새벽 어릴 적 밤길에서 보았던 혼불이 하나둘 날기 시작한다 불꼬리를 늘어뜨리며 출렁출렁 날아간다 무수한 혼불들은 저승에서 이승으로 이승에서 저승으로 이동 중인 모양이다

순간 내가 혼불이 되어 출렁이며 날아오르고 있었다 이승의 불고리를 뒤로 하고 계곡을 날아돌다가 저 아래 들길에 혼인 잔치가 끝나고 돌아가는 한 무리의 사람들을 내려다 본다 거기 어른들 틈에 끼어 있는 어릴 적 나도 어렴풋이 보인다 골짜기 검은 나무들 틈에 지상의 시간들이 여울져 흐르고 있다 은하의 별처럼 흩어져 있는 수많은 운명들이 고개를 넘고 골짜기를 건넌다 집과 빚을 모두 지상에 두고 하늘 고개를 넘는다

저승 가는 하늘 길에서 내려 보니 죽순처럼 자란 응회암 봉우리들이 즐비하다 봉우리들의 회색 바위들은 물리적으로는 부드러우나 이념적으로는 무척 단단하구나

— 백수인, 「혼불의 비행-터키 카파도니아에서 열기구를 타다」, 『시와문화』, 2017년 봄호.

혼불이 다른 세계로 나아갈 때 그 심정은 어떤 것일까. 혼불이 이 세계를 떠나며 자신과 세계에 대해 느끼는 것은 각 존재마다 살아온 업 karma, 業에 따라 다를 것이다. 사실 업이라는 것도 실체는 없다. 『화엄경華嚴經』「보살명난품菩薩明難品」에서 말하듯이 마치 맑은 거울에 비치는 그림자가 여러 가지로 나타나지만 안팎에 아무 것도 없는 것처럼 업의 본성도 그와 같다[猶如明淨鏡 隨其面像現 內外無所有 業性亦如是]. 저마다 연기법에 의해 업을 쌓으며 살아갈 뿐이다. 세상 모든 존재는 어느 날인가에는 선업이든 불선업이든 무기업이든 업을 진 혼불이 되어 이 세상을 내려다보며 홀연히 다른 세계로 건너갈 것이다.

죽음을 체험하는 것은 삶을 체험하는 것과 같다. 죽음 체험을 통해 진정한 삶을 성찰할 수 있기 때문이다. 위 시 「혼불의 비행-터키 카파도니아에서 열기구를 타다」는 시적주체가 열기구를 타고 지상에서 멀어지면서 시작된다. 시적주체는 열기구를 타고 자신이 발 딛고 살아온 지상을 내려다보면서 마치 죽은 후 하늘로 올라가는 혼불의 마음으로 죽음을 간접 체험한다. 시적주체는 첫째 아주 어릴 적 혼불을 본 것, 둘째 현재 카파도키아에서 열기구를 타는 것, 세째 열기구를 타고 하늘로 올라가는 자신이 마치 혼불이 되어 날아가는 듯 간접 죽음 체험을 하는 것 등 세 가지 상황을 배치시켜 환상적인 분위기를 자아낸다.

첫째 연에서 보여주는 대비효과는 삶과 죽음을 성찰하기 위한 분위기를 조성하고 독자를 시적 공간 속으로 흡입하는 역할을 성공리에 해내고 있다. '들판에 외따로 있'는 집은 항상 외로웠으리라. 마치 각각의 존재가 이 거대한 지상에서 군중 속에 있지만 저마다 외따로 존재하며 외롭다고 느끼는 것처럼 말이다. 그런 외로운 집에서 혼인 잔치가 있던 날이다. 얼마나 큰 경사이겠는가. 그러나 잔치는 빨리 끝이 난다.

'왁자지껄한 혼인 잔치가 끝나고' 각자 자기의 둥지로 돌아갈 무렵이다. 왁자지껄한 혼인 잔치와 대조되게 '밤은 검은 저수지처럼 깊어' 져 있다. 그 밤을 걷는 각각의 존재들은 내면에 자기만의 어둠을 품고, 어둠에 둘러싸인 채 걷고 있다. 잠깐으로 끝난 잔치의 왁자지껄한 여운을 뒤로 한 채 각자 자신들의 어둠을 보면서 걷는다. 시적주체는 아직 혼인을 통해 새롭게 잉태될 삶과 언젠가는 자신에게 다가올 죽음을 인지하지 못하고 그저 어둠 속에서 '어른들의 발걸음을 좇아 졸음 섞인 좁은 길을 걷고 있' 을 뿐이다. 시적주체는 어둡고 넓지 않은 길을 그저 앞선 어른의 길을 믿으며 따르고 있다. 마치 인간 군상들이 자신의 의지대로 삶을 만들어가는 것이 아니라 앞선 자의 욕망을 깊은 생각 없이 뒤따르는 것처럼 그렇게 뒤를 따른다. 그런 삶은 온전하게 주체적으로 사는 삶이 아니라 삶과 죽음 사이를 부유하는 삶이다. 그래서 시적주체는 졸리는 것인지도 모른다.

생명 잉태와 새로운 삶을 상징하는 혼인에서 죽음으로의 전환은 향토적인 이미지를 통해 자연스럽게 이어진다. '밭고랑 옆 돌담을 도는' 것으로 삶의 이미지는 죽음이미지로 바뀐다. 그러나 은밀히 살펴보면 혼불, 즉 죽음 이미지는 '산등성이 넘어 넘실넘실 날아오는 사발만한 불덩이' 라고 표현됨으로써 오히려 죽음이 혼인 잔치보다 더 축제다운 화려함으로 다가온다. '꼬리를 흔들며 출렁출렁 재 너머로 날아' 가는 이미지는 생동감 넘치며 리드미컬하다. 마치 '너머' 로 가는 것이 해탈의 경지라도 되는 양, 정토에라도 가는 양 축제이미지를 보여준다. 이 같은 시적 장치는 백수인 시인이 깊이 있는 상상력으로 이미지를 구사해나가고 있음을 보여준다.

이러한 환상적인 이미지는 지상에서의 형상들과 삶의 양상들을 성찰하고 있기에 지극히 현실적이면서 이성적이기도 하다. 산등성이 넘어 넘실넘실 날아오는 사발만한 불덩이 즉 혼불을 본 사람의 반응은 두려움에 떨거나 흥분을 하는 것이 아니다. 감상적이라기보다는 이성적이다. 혼불이 무엇인가. 죽음이다. '혼불이 나가면 마을에 초상이 난다' 는 것을 시 속의 사람들은 이미 믿고 있다. 그러나 죽음을 바라보는 사람들의 태도는 차분하고 침착하다. 마치 일상적인 삶을 덤덤히 바라보듯이 그저 '가볍게' '혼불이다~' 라고 외친다.

시적주체는 죽음을 삶의 영역 안에서나 밖에서나 자연스럽게 관조하고 받아들인다. 둘째 연에서부터 죽음은 이제 어둠의 영역에서 완전히 빠져나온다. 어릴 적 '검은 저수지' 처럼 깊은 밤에서 보았던 혼불을 이제 카파도니아의 '새벽' 에 보는 것이다. 얼마 후면 동이 틀 새벽에 '어릴 적 밤길에서 보았던 혼불이 하나둘 날기 시작' 하는데 이 또한 '불꼬리를 늘어뜨리며 출렁출렁 날아' 가며 축제의 분위기를 연출한다. 새벽의 혼불 축제는 비단 이승에서 저승으로 가는 혼불 만이 아니다. '무수한 혼불들은 저승에서 이승으로 이승에서 저승으로 이동 중' 인 것이다. 따라서 이 시에서 시적주체는 이승과 저승을 구분하지 않는다. 과거와 현재와 미래를 구분하지도 않는다. 이미 시공을 초월한 시선으로 삶과 죽음을 관조하고 있는 것이다.

시적주체가 처음 겪은 죽음, 즉 혼인 잔치가 끝나고 돌아오는 길에 본 혼불에 대한 경험은 시의 셋째 연에서는 이제 스스로 혼불이 되어 세상을 바라보는 것으로 전환된다. 뿐만 아니라 그 전환은 '이승의 불고리를 뒤로 하고 계곡을 날아' 돈다. 혼불인 내가 과거 '들길에 혼인 잔치가 끝나고 돌아가는 한 무리의 사람들을 내려다' 보고 '어른들 틈에 끼어 있는 어릴 적 나도 어렴풋이' 본다. 혼불을 처음 봤던 과거의 시적주체와 카파도키아에서 열기구를 타고 있는 현재의 시적주체와 혼불이 되어 지상을 떠나는 미래의 시적주체가 하나의 시공간에 공존하고 있는 것이다. 요컨대 이 시에는 시공을 초월하여 삶과 죽음이 함께 공존한다.

시적주체가 시공을 초월한 상태에서 삶과 죽음을 관조한 후 바라보는 세계는 지상에서 바라보던 세계와 다르다. 혼불이 된 시점에서 바라본 지상의 삶은 스스로 잘남을 뽐낼 필요가 전혀 없다. 왜냐하면 우주에서 바라본 이 지상의 세계는 거창한 것이 아니라 '골짜기 검은 나무들' 틈으로 '시간들이 여울져 흐르고 있'을 뿐이기 때문이다. 자신들의 존재를 드러내느라 욕망하고 폭력적으로 살아가는 사람들도 결국 '은하의 별처럼 흩어져 있는 수많은 운명들'에 지나지 않는 것이다.

지상의 모든 존재는 잠시 거울에 비춰졌다가 언젠가는 사라질 존재들일 뿐이다. 아무리 잘났다고 소리쳐봐야 시공을 초월한 눈으로 바라보면 그저 '고개를 넘고 골짜기를 건' 너는 작은 존재에 불과하다. 이 사실을 혼불이 되고 난 후 깨달은 시적주체는 부끄럽지만 그동안 내 것이라 집착했던 '집'과 욕망을 채우느라 진 '빚'을 '모두 지상에 두고 하늘 고개를 넘는' 것이다. 자의든 타의든 빈손으로 왔다가 빈손으로 가야 되는 것이 삶과 죽음의 이치임을 위 시는 보여주고 있는 것이다.

끝으로 카파도키아라는 장소에 주목할 필요가 있다. 약 3백만 년 전 화산폭발과 지진에 의해 형성된 잿빛 응회암이 오랜 세월 풍화작용으로 독특한 암석군을 이룬 카파도키아는 동서문명이 융합을 도모했던 곳으로 실크로드 중간거점이었다. 한 때는 로마 탄압을 피한 그리스도인들이 수천 개의 기암에 굴을 뚫어 만든 카파도키아동굴수도원이 있는 곳이기도 하다.

위 시는 동서화합의 장소였던 카파도키아가 삶과 죽음이 화합하는 장

소로 확대 된다. 또한 동굴수도원의 이미지가 삶과 죽음을 관조하고 깨달아가는 시적 상황으로 확대 된다. '저승 가는 하늘 길에서 내려 보'는 깨달은 자인 시적주체는 즐비하게 '죽순처럼 자란 응회암 봉우리들'을 보게 된다. 응회암은 잘 부서지기 때문에 다른 바위에 비해 '물리적으로는 부드'럽다고 할 수 있겠다. 그러나 시공을 초월한 혼불의 비행에서 바라보는 사물은 나약함의 이면에 초월적 의지를 가진 존재의 단단함을 품고 있다. 그래서 시적주체는 봉우리들의 회색 바위들을 '이념적으로는 무척 단단하'다고 표현한다. 이성에 의하여 파악할 수 있는 최고의 관념인 이념은 시대마다 다를 수 있지만 그 뿌리는 단단하다. 삶과 죽음이 하나인 지상에서의 삶은 부드러우면서도 단단한 존재들이 춤추는 축제의 장인 것이다.

대지모, 신체화생설과 모성성
김혜순 시

할머니 눈을 그렇게 꽉 감겨드릴 필요는 없었는데

할머니의 삼베 수의 치마 솔기마다 씨앗을 심어드린다
그 솥 가마에서 싹이 튼다

썩을 년
도둑질하는 양배추는 돼지 마
거짓말하는 양배추는 돼지 마
나는 말하는 양배추 밭을 가꾼다

달콤하고 끈적거리는 비를 보내는 이와
씩씩하게 비 맞는 이가 만나서
좋아죽겠다고 한다. 결혼하자고 한다. 나는 양배추가 자라서 여자로 환생한
다면 결혼하겠다고 한다. 둘이서 하나씩 혼례복이면서 장례복인 흰 치마를 입고
결혼하자고 한다. 천지에 물꽃이 천만 개 만만 개 핀다.

비가 할머니의 다리를 씻기고 있다. 할머니의 몸이 서울의 북쪽 산에서 남쪽
톨게이트까지 걸쳐져 있다. 할머니 따뜻한 욕설이 침처럼 고이고 있다 할머니의
백발이 파뿌리처럼 뽑히고 있다. 할머니 다리 틈새로 개울이 생기고 있다. 개울
사이의 가게들이 환한 불을 켜고 손님을 맞고 있다. 과수원이 무지개를 출산할

준비를 하고 있다. 나는 할머니의 높고 높은 이마에 걸터앉아 '나는 기억한다 할
머니' 하는 구절로 시작하는 문장을 백 개 만들어 드린다.

나는 저 들판을 다 덮을 우산을 구상한다
나와 결혼식 하객들을 다 덮어줄 비닐우산을 구상한다

할머니 이제 땅 많아요 이거 다 할머니 거예요
우리 할머니 살아생전 땅이라곤 입은 치마밖에 없었는데

그렇지만 잠시 후 잘 익은 양배추들이 검은 하늘에 주렁주렁 열려 있다가
땅 위에서 퍽퍽 깨진다 내 머리통이 찟득거린다

해바라기 씨 같은 아이들은 어두운 성당 고해실에서 두 손을 모으고
죽은 이들이 다시 사는 일이 없기를 두 손을 모으고

나는 내가 눈을 감겨드린 할머니를 생각한다
잠시 후 파뿌리 나와 우리 할머니가 비 맞으며 결혼 행진을 시작한다

— 김혜순, 「할머니랑 결혼할래요」, 『현대시』, 2017년 1월호.

창조 신화에는 신체화생설身體化生說이 많다. 거인의 주검이 곧 자연
이 되는 것이다. 중국의 반고신화盤古神話에도 반고의 몸이 세상이 된
다. 손과 발은 산이 되고 피는 강물이 되고 힘줄은 길이 되고 살은 논밭
이 되고 숨결은 바람과 구름이 된다. 바빌로니아의 티아마트Tiamat, 인
도의 푸루샤purusa, 게르만의 이미르Ymir 등도 모두 몸이 자연이 된다.
그리스 로마 신화에는 카오스 상태에서 제일 먼저 생겨나는 것이 대지의
신 가이아이다. 가이아가 하늘인 우라노스를 낳는 것이다. 한국에는 마
고할미 같은 여성거인신이 산이나 바다를 만든다. 이러한 신체화생설과
모성성을 지닌 대지의 신은 신과 인간, 인간과 자연이 하나임을 일러준

다. 죽음을 통해 삶이 생기는 것과 삶과 죽음의 순환으로 우주가 운행되고 있다는 순리도 보여준다. 이는 생태적 세계관이다.

이처럼 죽음이 있기에 삶이 있다. 죽어서 썩는 것이 있기에 씨앗에서 싹이 난다. 김혜순 시「할머니랑 결혼할래요」는 대지적 상상력으로 죽음과 삶이 하나임을 노래한다. 할머니가 죽으면 이 세상에서 사라지는 것이 아니다. 신화에서처럼 할머니는 죽어서 자연이 되고, 자연이 된 할머니는 새 생명으로 다시 태어나 존재하게 되기 때문이다. 그래서 시적주체는 죽은 '할머니 눈을 그렇게 꽉 감겨드릴 필요는 없었는데'라는 후회를 한다.

죽음은 결코 완전한 소멸이 아니라는 것을 인식 후 시적주체가 한 일은 할머니 '삼베 수의 치마 솔기마다 씨앗을 심어드리는 일'이다. 할머니가 다시 살아날 것임을 아는 까닭이다. 겨울이 지나면 새싹이 움트듯 때가 되니 할머니 수의의 '솔기마다에서 싹이 튼'다. 죽음에서 새 삶으로의 전환은 이처럼 아무렇지도 않고 특별할 것도 없이 자연스럽고 당연하게 이행된다.

할머니의 몸은 썩을 줄 알기에, 시적주체 또한 죽으면 썩을 줄 알기에 할머니는 '썩을'이라고 말을 한다. 이 말이 '따뜻한 욕설'로 받아들여지는 이유는 할머니가 자연스레 죽음을 받아들일 뿐만 아니라 새 생명을 키워내는 대지모의 성격을 가지고 있기 때문이다.

질 들뢰즈Gilles Deleuze와 피에르펠릭스 가타리Pierre-Félix Guattari는 접속을 통해 관계가 형성되어가는 장인 리좀rhizome을 통해 접속의 논리학을 편다. 접속을 통해 만남이 이루어져야 새로운 것이 생성된다. 동일성에 고착되지 않고 접속을 통해 생성하는 관계들을 통해서 존재들은 새로운 개체가 되고 의미가 된다. 위 시에서 결혼은 접속의 개념으로 파악된다. 요컨대 우주의 만물은 결혼을 통해 태어난다.

결혼을 통해 새로운 의미를 생성해 낼지라도 탈주의 욕망이 있다. 탈주의 욕망은 사라질 것에 대한 인식과 존재론적 변신인 들뢰르의 '-되기 becoming'를 전제로 파악된다. 위 시에서는 주검 위에서 자란 싹이 '도둑질하'거나 '거짓말하'는 양배추는 되지 말라고 한다. 윤리적으로 성숙한 존재가 되라는 이야기다. 진실을 말하는 양배추가 되도록 시적주체는 '말하는 양배추 밭을 가꾼다'라고 말한다.

어떤 존재가 되어야하는지는 우주의 운행 원리를 아는 것에서 출발한다. 위 시에서는 '달콤하고 끈적거리는 비를 보내는 이'와 '씩씩하게 비 맞는 이'가 만나서 '좋아죽겠다'고 '결혼하자'고 한다. 이 제안에 시적주체는 '양배추가 자라서 여자로 환생한다면 결혼하겠다'고 한다. 시적주체는 자연의 순리 속에서 자신의 접속 지점을 선택하여 새로운 존재가 되겠다는 의지를 보인다. 불교적 윤회설을 환생이라고 명명하는 바 결국 접속 즉 결혼을 통해 삶에서 죽음으로, 죽음에서 삶으로 순환되는 우주의 이치 즉, 생태적 삶에 대한 세계관이 드러난다.

하늘과 대지의 결혼은 동서양을 불문하고 편재해있는 창조신화의 기본 구조이다. 그리스로마 신화에서 가이아와 우라노스의 결혼도 한 예이다. 이 같은 신화적 상상력은 위 시에서 새 생명을 낳는다. '비를 보내는 이'는 하늘이고 그 비를 맞는 이는 대지다. 하늘과 대지의 결혼은 서로의 죽음이면서 새 삶이다. 서로를 주고받기 때문이다. 그래서 '둘이서 하나씩 혼례복이면서 장례복인 흰 치마를 입고 결혼하자'하는 것이다. 비로 하늘과 땅이 결합한 결과 '천지에 물꽃이 천만 개 만만 개'가 피는 것은 생태적으로 당연한 결과이기도 하다.

죽어서 대지모가 된 할머니는 마고할미처럼 거대한 몸으로 '서울의 북쪽 산에서 남쪽 톨게이트까지 걸쳐져 있'다. 생명의 풍요가 지속될 수 있도록 비는 할머니의 다리를 씻기며 내린다. 죽었던 할머니는 삶의 터전이 되어준다. 할머니는 다시 젊어져 '백발이 파뿌리처럼 뽑' 한다. 할머니 다리 틈새로는 개울이 생기고 개울 사이의 가게들이 환한 불을 켜 손님을 맞고 대지모는 따듯한 욕설로 충고하며 베풂의 자연으로 있다. 그러니 풍성한 과실을 달고 있을 '과수원이 무지개를 출산할 준비'를 하고 있는 것이다. 인간에게 과수원은 풍요이고 『성경』「창세기」에서 말했듯 무지개는 그 풍요를 지켜주겠다는 약속이다. 할머니는 돌아가셨지만 대지모가 된 할머니는 죽어 사라진 것이 아님을 알기에 시적주체는 '나는 할머니의 높고 높은 이마에 걸터앉아 '나는 기억한다 할머니를' 이라는 구절로 시작하는 문장을 백 개 만들어 드린다.' 고 한다.

같은 맥락에서 할머니가 살아서 입은 치마는 하나뿐이지만 할머니는 이미 대지 자체이므로 모든 땅이 할머니이며 땅은 모든 것의 땅이다. 할머니는 죽었고 동시에 살아있다. '잘 익은 양배추들이 검은 하늘에 주렁주렁 열려 있다가 땅 위에서 퍽퍽 깨지듯이' 생이란 돌고 돈다. 아이들 또한 해바라기 씨 같이 환하고 커다란 꽃을 피우겠지만 죽은 이들이 베풀어 준 땅에서 살고 자신들도 언젠가는 자신의 몸을 버리고 베풀 것이기 때문에 '죽은 이들이 다시 사는 일이 없기를 두 손을 모으'는 것이다. 아이들은 어른의 죽음을 담보 삼아 살기 때문에 미안한 마음이 들어 '어두운 성당 고해실에서 두 손을 모'은다.

시적주체 또한 마찬가지다. 시적주체가 죽음은 또 다른 삶이라는 것을 인식 후 할머니가 죽었기 때문에 '눈을 감겨드린 할머니를 다시 생각'한다. 나와 할머니는 실제로 다시 접속하고 윤리적이면서도 새로운 의미의 '-되기'를 생성한다. 죽은 할머니를 다시 살려내고 할머니에게서 싹을 틔우고 꽃을 피우면서 언젠가 뽑혀질 '파뿌리 나와 우리 할머니가 비 맞으며 결혼 행진을 시작'하는 것이다. 결국 「할머니랑 결혼할래요」는 삶과 죽음, 너와 내가 하나라는 생태적 세계관을 보여준다.

슬픔 껴안기, 조화와 소통의 풍경

이명 시

　　내가 나에 대해 아는 거라곤 슬프다는 것 밖에 없다. 물속에 있어서 물결이 곱게 접힌 피부처럼 보였다. 당신은 블랙홀 같아요. 빛까지 빨아드린다고 외롭지 않다는 건 아니다. 어젯밤부터는 이명이 심해졌다. 오래 전에 헤어졌던 사람들의 꿈을 꾸었다. 그들은 친절했고 나는 발작처럼 깨었다. 소라 껍데기에 머리를 집어넣은 것처럼, 가짜 파도가 머리를 삼켰다. 나는 이쪽에 있었다. 소용돌이치는, 소름끼치는, 가짜들 속에 있었다. 하류에 외떨어진 삼각주처럼 차츰 쌓여가는 건, 잃어버린 다리나 몸뚱이나 손가락 따위였다. 정강이까지 차는 물속에서. 물감처럼 번지는 돌을 들어올렸다. 물 밖으로 나온 그것들은 틀림없는 무게와 부피를 가지고 있어서. 생각만큼 외로워 보이지 않았다. 나의 반대편 출구에 모여. 그들은 내가 모르는 이야기를 쑥덕거렸다. 내가 사람들에 대해 아는 거라곤 언젠가 죽는다는 것 밖에 없다. 돌인 줄 알고 들어 올린 얼굴도 있었고, 그 땅굴 같은 입에서 검은 물이 쉴 새 쏟아져 나왔다.

– 이명, 「땅굴 같은 입」, 『시와세계』, 2016년 겨울호.

　　나는 슬프고 사람들은 죽는다. 시적주체가 아는 것은 이 뿐이다. 그 외 모든 것은 진실이 아닌 것처럼 느낀다. 그러나 시적주체는 지금 물속에 있기에 오히려 아름다움을 보고 삶의 진실을 본다. 물 위에서 물을 보면 공기층과 물을 확실하게 절단 분리시키는 유리 같은 물의 표면을 보게 된다. 시적주체는 지금 물 안에서 수면을 올려다보고 있다. 물 안에서 바라본 수면은 절단과 단절이 아니다. 햇살이 물에 투과되어 환하고 투명하며 눈부시게 아름답다. 이것은 조화와 소통의 풍경이다. 그래서 시적주체는 마치 물의 속살을 보는 듯하다. '물결이 곱게 접힌 피부처럼 보' 여서 순간 외로움을 잊는다.

아름다움은 더러 상처와 고통을 위로하거나 긍정적으로 승화시키는 힘을 가진다. 그러나 그것은 환상이요 꿈이다. 상상력은 인간을 꿈의 세계로 인도하고 꿈은 세상을 아름답게 만든다. 그러나 인간은 지극히 현실적이기도 해서 현실이 조금만 출렁대면 촉수가 예민한 감각이 꿈에서 깨어나 즉각 반응한다. 순간 인간은 환상에서 깨어나고 심장과 뇌로 슬픔과 외로움 등의 감정이 실려 간다. 그러나 이 또한 다른 옷을 입은 꿈이다. 에로스와 타나토스는 뒤엉켜 있기에, 삶과 죽음은 같은 몸이기에 꿈과 현실 또한 결코 다르지 않다.

환상에서 깨어난 시적주체는 이제 블랙홀처럼 빨아들이는 물의 욕망을 본다. 시적주체가 물결을 '곱게 접힌 피부'처럼 보았지만 그것은 바람을 온몸으로 빨아들였기 때문이다. 자신의 살결인양 아름다운 무늬로 물결을 이루고 있는 수면은 결코 물 자체만이 아니다. 순간 부는 바람으로 인한 현상일 뿐이기에 물은 바람을 삼켰으나 진정한 물의 본질은 아닌 것이다. 물은 하늘을 비추어 삼키고 사람들을 비추어 삼키고 돌과 수많은 자연을 비춰주고 삼킨다. 빛까지 블랙홀처럼 빨아들이지만 물의 외로움이 모두 해소되지는 않는다. 모든 것은 영원하거나 머무는 것이 아니라 잠시 지나가는 현상일 뿐이라는 것을 스스로 알기 때문이다.

눈에 보이는 이미지들을 본다는 자체만으로도 시각의 입장에서는 거대한 포획이고 소유다. 블랙홀처럼 이미지들을 모두 빨아들인 것처럼 보이지만 실재적으로는 아무 것도 소유할 수 없다. 눈에 보이는 이미지들을 보고 있는 시간들이 있을 뿐 빛이 사라지면 환상에서 깨어나듯 사라진다. 잔영만이 남아서 오히려 외로움의 깊이를 증폭시킬 때도 있다. 이것이 삶이다. 햇살과 바람으로 아름다운 물결 일렁이던 물이 밤마다 그 모든 찬란함을 삼킨 어둠을 밤새 견디듯 시적주체는 꿈과 현실을 오가면서 세상 속에서 세상과 동떨어져 외로움과 슬픔을 견딘다. 시적주체의 외로움은 심해진 이명을 혼자 견뎌야 하는 것과도 별반 다르지 않다. 그렇게 때문에 시적주체는 슬프다.

시적주체는 외로움의 심층에서 마치 외로움을 달래주는 듯한 오래 전 사람들을 생각해낸다. 그들은 추억으로 고여 있다. 슬픈 나는 그들과 함께 했던 시간들 중 위로가 되는 순간을 기억해낸다. 외로움이 선택한 것은 외로움을 달래줄 오래 전 만났던 사람들의 '친절'이다. 자신들의 욕망 채우기로 내달리는 사람들은 타인의 외로움과 슬픔에 무관심하다. 세상 사람들의 무관심으로 인한 외로움과 슬픔은 친절한 사람들을 꿈속에서나마 호명한다. 그러나 친절한 사람들의 호명 또한 순간의 진통제일 뿐이고 꿈속의 일일 뿐이다. 현실의 차가운 물결이 서늘하게 피부에 와닿아 이명은 더욱 심해지고 시적주체는 '발작처럼 깨'어난다. 꿈결의 짧은 위안 뒤 무시무시한 발작이라니 얼마나 끔직한 현실인가. 시적주체는 다시 블랙홀에 빨려드는 것처럼 외로움으로 빨려든다. '가짜 파도'가 외로움으로 가득한 머리를 삼키는 듯하다. 외로운 '소라 껍데기' 안에서 혼자 사는 것처럼 시적주체는 이명 속에 있고 홀로 외롭다.

시적주체는 '소용돌이치는, 소름끼치는, 가짜들 속'인 '이쪽'에 있기에 외롭다. 세상이 거짓이라 할지라도 나의 존재는 진실이므로 슬프다. 가짜들은 온전한 몸이 아니라서, 온전한 우주가 아니라서 거세된 물질로 흘러와 쌓인다. 블랙홀처럼 모든 것을 삼키던 물은 어쩔 수 없는 외로움을 알기에 결국 슬픔의 덩어리들을 뱉어낸다.

물만이 외롭고 시적주체만이 외롭겠는가. 물속에서 진실인 양 일렁이던 이미지들 또한 존재의 슬픔을 안고 주검처럼 하류 삼각지에 쌓인다. 그것들은 결국 진실이 아니면서 진실이었고 가짜이면서 가짜가 아니었다. 시적주체는 '잃어버린 다리나 몸뚱이나 손가락 따위'로 표현된 외로움 덩어리였다. 슬픔 덩어리였다. 그러나 시적주체가 아닌 것이 어디 있고 시적주체인 것 또한 어디 있겠는가.

'정강이까지 차는 물속에서' 나는 슬픔의 '돌을 들어 올'린다. 이제 시적주체는 내 슬픔만 아는 존재가 아니다. 외로움의 덩어리들이 '물감처럼 번지'기에 나는 외로움에 잠겨 있는 돌을 들어 올린 것이다. 존재는 슬픔으로 실존한다. 자신들 각각의 무게와 부피를 가지고 현상계에서 촉촉한 눈을 깜박인다. 어쩌면 시적주체가 이해하는 것보다 현상세계에 존재하는 그들은 덜 외롭고 덜 슬플지도 모른다. 시적주체는 시적주체만의 이명을 가지고 있고 그들의 말들을 다 들을 수가 없기 때문이다. 때로는 '내가 모르는 이야기를 쑥덕거리'는 것처럼 보이기도 한다. 하지만 시적주체는 그들이 언젠가 이 세상에서 사라질 것이라는 것을 안다. 시적주체가 아는 진리는 그 모든 존재들의 외로움과 슬픔이 언젠가는 이 세상에서 사라질 것이라는 것이다.

가짜이고 '돌인 줄 알고 들어 올'렸던 얼굴들도 모두 죽음에서 삶으로 삶에서 죽음으로 슬픔과 외로움을 견디면서 쉴 새 없이 쏟아져 나온다. 시적주체는 쉴 새 없이 그들의 슬픔과 외로움을 블랙홀처럼 두 팔을 벌리고 껴안는다. 땅은 물을 품어서 새로운 생명을 움트게 하고, 물은 모든 것을 받아들여 생명을 키워낸다. 시적주체는 진실과 거짓, 외로움과 슬픔을 모두 품기 때문에 새 생명을 키워낼 것이다. 결국 모든 존재는 생태적 인드라망 안에서 유기적으로 함께 존재하는 것이다.

실존, 생존, 공존의 하모니

방민호 시

나는 생겨나기를
나무와 불을 안고 살아야 한다 했다
그건 아주 어려운 문제였다
나무는 물이 있어야 살건만
나는 불을 잔뜩 안고 있고
불은 나무를 태워야 살 수 있어
내 불이 일면일수록
내 나무는 까맣게 타
숯덩이로 남을 수밖에 없었다
나는 또 나무로 나기는 났어도
뿌리 끝에 물이 너무 적은 나머지
넝쿨나무로 살아야 한다 했다
자갈과 잡초에 살갗을 긁히며
물을 찾아 헤매 다녀야 한다 했다
내게 물이 조금만 더 있었다면
내 나무는 하늘과 구름을 향해
솟아오를 수도 있으련만
오늘도 내 목마른 나무는
타는 불을 머리에 인 채

불에 타지 않는 꽃을
피우는 날 기다린다
불에 타지 않는
탐스러운 열매 맺는
그날까지는
견뎌야 하리라고
불을 다스려야 하리라고
근심하면서
위로하면서

오늘 밤에도
내 나무가 불에 스치운다

- 방민호, 「나무와 불」, 『현대시학』, 2017년 7월호.

    모든 존재는 자신이 태어나고 싶은 조건과 환경을 선택하여 태어날 수 없다. 어느 실존주의 철학자의 말대로 가혹하게 말해서 이 세상에 태어나는 일과 존재하는 일은 자신의 선택여지와 상관없이 내던져지는 것이다. 내던져진 채로 자신에게 주어진 여건과 환경에 맞추어서 생존하며 살아갈 수밖에 없는 것이 삶이다. 방민호의 「나무와 불」은 인간의 실존 문제에 화두를 던지면서 어떻게 살아야 하는가를 성찰하는 시이다.

    전생에서 자신이 쌓은 업에 의해 또는 인연법에 의해 어떤 상황에 놓였다고 하더라도 운명은 가혹하고 그 운명을 스스로 헤쳐 나가며 생존할 수밖에 없다. 시적주체는 하필 '나무와 불을 안고 살아야' 하는 운명을 가지고 태어났지만 생존을 위해 상황을 받아들이고 부단히 정진해나갈 의지를 보인다. 동양철학에서 불과 나무는 상극이다. 서로가 같이 있으면 해가 되는 것이다. 그런데 상극을 품고 살아야 되는 운명은 어쩌면 모든 존재가 가지고 있는 삶의 여건인지도 모른다. 무게의 정도는 다르겠지만 누구나 그 부조리를 받아들이기 어렵다 하더라도 짐을 짊어지고 살아갈 수 밖에 없다. 비단 개별적 사물에만 짐이 있겠는가. 자연 안에는 태생적으로 그 모든 짐을 짊어져야 할 본래적 혼돈이 있어서 자연이다. 그 모든 상극들을 품고 오히려 조화를 만들고 천지를 운행하기에 우주의 섭리는 오묘하고 위대하다.

인간이 부조화를 조화로 만들며 사는 것은 쉬운 일이 아니다. 시적 주체도 '아주 어려운 문제'라고 괴로운 심경을 토로한다. 당연히 '나무는 물이 있어야' 사는 것인데 시적주체의 나무는 '불을 잔뜩 안고 있'다. 얼마나 가혹한가. 목마른 자에게 불을 가져다주면 어떻게 되겠는가. 시적 주체는 삶 자체가 목마르고 뜨겁기 때문에 실존의 괴로움을 가지고 있다.

불 또한 마찬가지로 '나무를 태워야 살 수 있'다. 불길은 활활 타오르면서 자신의 존재를 드러내고 싶은데 그렇게 하려면 또 다른 자신의 몸인 나무를 태워 버려야 가능하다. 자신의 존재만을 활활 드러내려다 보면 또 다른 자신의 한 부분은 까맣게 타서 '숯덩이로 남'게 만들어 버리는 결과를 초래한다. 그래서 불도 나무도 자신을 억누르며 자신의 몸 안에 있는 또 다른 자아를 조심하고 보살펴야한다.

이것은 생태계의 균형을 위해서도 필요한 것이다. 자신의 욕망만을 위해 활활 타오르면 결국 타자는 파멸된다. 자신의 욕망을 활활 타오르게 해주는 나무가 다 타버리고 숯덩이가 되고 소멸하면 결국 불 자신도 파멸한다. 더 이상 활활 자신을 불태울 나무가 없으므로 자신은 숯덩이보다 더 파멸하여 이 세상에서 흔적도 없이 싸늘하게 사라지는 것이다. 에마뉘엘 레비나스Emmanuel Levinas가 말한대로 타인은 얼굴로 나타낸다. 생태적으로 균형을 이룬다는 것은 자신의 욕망을 줄이고 타인의 배고픈 얼굴에 내 몸을 나누어주며 함께 공존하는 것이다.

그런데 시적주체인 나무에게 주어진 여건을 보면 스스로에게 측은지심이 들만도 하다. '나무로 나기는 났'으면 깊이 뿌리를 내릴 수 있어야 한다. 튼튼한 뿌리가 있어야 살아가는데 적당한 물과 양분을 흡수하며 성장하는데 하필 시적주체는 '뿌리 끝에 물이 너무 적은 나머지/넝쿨나무로 살아야' 한다. '자갈과 잡초에 살갗을 긁히며/물을 찾아 헤매다녀야' 하는 운명을 타고 난 시적주체는 그래도 절망만 하고 있는 것은 아니다. 더불어 살아가는 것, 즉 주어진 악조건 속에서 조화를 이루며 살아가는 바람을 가지고 꿈을 꾼다. 시적주체는 이 같은 운명을 준 신에게 원망을 하기보다는 '물이 조금만 더 있었다면/내 나무는 하늘과 구름을 향해/솟아오를 수도 있으련만'이라고 중얼거릴 뿐 스스로 자신을 위로한다.

자신의 처지를 아무런 계산 없이 인정하고 받아들이는 것은 쉬운 일이 아니다. 모든 상황을 받아들이는 것은 하심下心의 영역이다. 자신에게 주어진 자연적인 여건을 그대로 받아들이면 자신이 어떻게 살아야하는지가 보인다. 있는 그대로를 받아들이고 있는 것에 만족하고 더불어서 더 나은 삶을 추구하며 사는 것을 시적주체는 택한다. 시적주체는 지금 비록 목마른 나무로 '타는 불을 머리에 인 채' 살아가지만 '불에 타지 않는 꽃'을 피우기 위해 노력하겠다는 의지를 보인다.

시적주체는 '불에 타지 않'는 꽃을 피우고 '탐스러운 열매 맺는 그런 날'을 기다리며 현실을 견뎌야함을 알기에 스스로에게 주문을 건다. 그것은 자신의 마음속에 활활 타오르는 욕망의 '불을 다스'리는 데서부터 시작한다. 그러나 그 길은 쉽지 않기에 시적주체는 근심하다가 스스로 위로를 한다. 오늘 밤에도 목마른 나무에 불길이 스치겠지만 시적주체는 타자와 조화로운 삶을 추구하기 위해 노력한다. 생태적으로 조화로운 삶 속에서야말로 죽음을 넘어 가장 아름다운 삶의 꽃을 피울 수 있음을 시적주체는 알기 때문이다.

자연과 사람이 한 몸으로 봄맞이하는 해토머리 산책

김명인 시

잔설에 멈칫거리는 초봄이 해토머리라지만
경작을 하우스 속으로 옮긴 뒤로는
쥐불에 그슬린 논둑 밭둑도 눈에 잘 안 띈다
누구도 보리 고개 따위는 떠올리지 않으니
들길을 걸으며 눈석임만 신바닥에 질척거린다

세월에는 주막이 없다는데
저 억새덤불은 언제 쩍 숙취인지
아직도 흐느적거린다
서른 해 저쪽의 수화기를 들고
여전히 화끈댄다면 그는 꼰대 중의 꼰대
손자에게서 문자 메시지가 온다
"거기서 뭐하세요, 할아버지?"

춥든 푸근하든 겨울은 건너야 봄이니
해토머리 산책도 우리 세대의 소일거리
보덕사 내려가는 이 비탈길도
어느 날엔가 직선의 포장도로로 곧추설 테지

제 몫의 세상은 늘 붐볐지만 어느새 텅 비어간다

저기 작년을 지켜온 들길의 초본들
해토바람에 눕는다, 흙먼지에 길이 풀썩 주저앉는다

– 김명인, 「해토머리」, 『시와문화』, 2016년 봄호.

봄은 희망의 상징이다. 희망은 하루아침에 이루어지는 것이 아니다. 추위에 세상이 얼어있을 때 추위에 떨면서도 자연과 인간은 함께 봄꿈을 꾼다. 언 세상을 녹이고자 하는 꿈들이 모이면 차갑던 하늘도 훈풍을 보내고 서서히 언 땅이 녹기 시작한다. 얼음이 녹기 시작하면 봄을 기다리며 떨던 마음도 훈훈해지기 시작하고 봄기운과 함께 천지에 봄이 온다. 이렇게 사람 마음과 자연의 기운이 통하니 사람과 자연은 하나와 다름없다. 자연의 몸과 사람의 몸은 하나였고 자연의 마음과 인간의 마음도 하나였다. 이것이 우주의 순리다. 순리대로 자연과 사람이 조화를 이루고 살아갈 때 진정으로 화평한 생태적인 삶을 살게 된다.

그런데 자연과 한 몸이던 인간에게 '좀 더'라는 욕망의 촉이 자라더니 어느 때부터 사람은 자연을 소유하려는 탐욕을 낳았다. 자연이 어떤 상황에 놓이는가 보다는 스스로 그러한 무위의 자연을 걸고 넘어져 인간에게 유리하도록 자연을 이용하기 시작했다. 인간은 자연을 구부리고 비틀고 누르고 부수고 녹이고 이물질을 투입하기도 한다. 인간에게 고문당한 자연은 상처를 입기도 하고 팔이 부러지기도 하고 어느 날은 숨을 헐떡이기도 한다. 인간의 욕망은 끝이 없어서 끊임없이 자연을 옥죄며 욕망의 잔가지를 더 뻗힌다. 인간은 자연을 이용하여 더 편해졌다고 기뻐하고 시간이 단축되었다고 흡족해하고 더 많은 수확물을 얻었다고 스스로를 대견해하기도 한다.

인간이 자연에 대해 잔혹해져갈 때도 자연은 스스로 원래의 자연 상태를 회복하려고 노력하였다. 그러나 인간이 뻗어가는 욕망의 정도가 도를 넘자 자연도 지쳐갔다. 인간의 과도한 욕망에 자연은 스스로 회복할 수 있는 한계점을 넘어버린 것이다. 자연은 기형이 된 몸을 질질 끌고 인간에게 다른 형태로 나타나게 되었다. 욕망으로 점철된 인간은 앞만 보고 가다가 어느 순간 낯선 모습으로 있는 자연을 발견하게 된다. 자연은 인간이 생존할 수 있는 여건을 지켜주려고 했으나 인간은 과도한 욕망으로 자연을 파괴하고 타자화시켜버렸다. 자연 파괴에 대한 반작용으로 자연은 인간을 소외시키기 시작했다. 인간에 자연에게 던진 부메랑이 생태학적 부메랑으로 인간을 향해 되돌아오고 있는 것이다.

인간이 무분별하게 자연을 파괴한 결과로 환경 위기, 기후 위기가 와서 인간의 삶의 형태가 부정적인 측면으로 변했다. 마스크를 하지 않으면 마음대로 숨을 쉬기도 힘든 세상이 온 것이다. 이제 아름다운 자연 속에서 인간과 자연이 조화롭고 평화롭게 공존하던 세계는 이상향 속에만 남게 될지도 모른다.

본질적으로 자연은 인간의 근원과 같다. 성경의 에덴이나 불교의 극락이나 인간이 꿈꾸어 왔던 이상적인 세계는 자연의 아름다움을 배경으로 하고 있다. 자연은 인간의 심리 깊숙한 곳에서부터 이미 인간 존재를 명명하고 살아가게 하고 위로한다. 자연은 인간의 근원이면서 고향이다. 그렇기 때문에 자연이 파괴되면 인간 존재 또한 생태학적 부메랑의 화살을 피할 수 없게 된다.

김명인 시인의 위 시는 해토머리라는 정겨운 언어를 제목으로 하고 있다. 해토머리란 얼었던 땅이 녹아서 풀리기 시작할 때를 말한다. 즉 겨울에서 봄이 올 즈음을 말한다. '잔설이 멈칫거리는' 이즈음에 '들길을 걸으면 눈석임만 신바닥에 질척거'리게 된다. 그 질척거림이 결코 싫지만은 않았던 것은 언땅이 녹고 있기 때문이고 질척거림 후에는 땅이 다시 다져져서 곧 훈풍을 맞으며 봄 산책을 다닐 수 있는 길이 되기 때문이다. 질척거리는 길을 걸으면서 길과 함께 얼어있는 인간의 마음도 함께 녹아 땅과 한몸으로 질척거리며 봄을 맞이하게 되는 것이다. 이는 자연과 인간의 몸이 자연의 섭리 속에서 하나로 살아가는 조화로운 삶이다. 그런데 시멘트나 아스팔트가 깔린 길은 어떠한가. 봄이 오고 있다는 것을 땅의 변화로 알 수 없다. 자연의 정확한 조화를 인간은 몸으로 느낄 수가 없다. 콘크리트 위의 길을 걷는 인간은 자연의 순환 원리로 변화되는 자연의 신체적 땅을 느끼지 못 하고 삭막하게 봄을 맞이한다.

예부터 정월대보름이면 쥐불을 놓았다. 경작을 시작하는 봄이 가까워 오기 때문이다. 쥐불은 논이나 밭에 있는 덤불을 불 태워서 미리 병충해를 방지하고 덤불을 제거하여 새싹이 잘 움터 나올 수 있도록 돕는다. 정월대보름날 달집에 불을 붙이고 논둑과 밭둑에 불을 붙이는 날은 온 동네 사람들이 나와 축제를 하는 날이다. 대지가 언 몸을 쥐불로 데우고 봄맞이할 준비를 한다.

달집태우기나 쥐불 놓기는 한 해 농사를 잘 지어 온 동네가 화평하게 살 수 있기를 바라는 염원이 담겨있다. 쥐불을 놓는 장면에 사람들은 환희를 느낀다. 불에 그슬린 들판을 바라보는 것도 봄을 맞이하는 기대로 가슴이 뛰는 일이다. 곧 까맣게 탄 들판 아래서 연둣빛 싹이 올라오는 것을 보는 환희를 맛볼 수 있기 때문이다. 아쉽게도 비닐하우스를 만들고 난 뒤 들판에서 쥐불을 보기 힘들다. 그래서 시적주체는 '경작을 하우스 속으로 옮긴 뒤'에는 쥐불을 놓지 않는다고 말한다. 하우스에서는 겨울에도 경작을 하기 때문이다. '쥐불에 그을린 논둑 밭둑'이 눈에 띄지 않는 것이 이 시의 시적주체는 아쉬운 것이다.

'춥든 푸근하든 겨울을 건너야 봄'이다. 겨우내 얼었던 땅이 녹아서 풀리기 시작할 때 봄이 오는 자연의 변화를 몸으로 느낀다. 질척거리는 땅을 산책하는 것도 인간이 자연과 소통하는 방식이다. 위 시의 시적주체는 편리성보다는 자연과 생태적으로 어우러지며 질척거리는 땅을 걸을 수 있었던 과거를 소중한 추억이라 여긴다. 시멘트나 아스팔트가 깔려 있는 길을 걷는 현대인은 해토머리 산책의 묘미를 알지 못한다. 녹고 있는 언 땅을 걸어보지 않은 손자는 할아버지의 해토머리 산책을 이해하지 못한다. 그래서 "거기서 뭐하세요, 할아버지?"라고 손자는 묻는 것이다. 그것도 '문자 메시지'로 말이다.

통신 문명이 발달하기 전에는 사람과 사람의 신체가 실재로 만나서 얼굴을 마주해야 말을 하고 소통을 할 수 있었다. 서로의 체온을 느끼고 표정의 변화도 살피며 마음을 이해하면서 소통했다. 전화가 생기자 만나지 않더라도 목소리를 통해서 소통할 수 있게 되었다. 지금 가장 많이 사용하는 소통방법은 SNS 문자일 것이다. 몸으로 하는 대화, 목소리로 하는 대화가 아닌 지극히 간접적인 방법인 문자를 통해 소통을 한다. 문자 소통으로는 손자가 '아직도 흐느적'거리는 억새덤불을 온전하게 느낄 수 없으며 알 수도 없다. 몸으로 직접 경험을 하지 못한 자연은 추상적이고 관념적인 것일 뿐이다.

할아버지의 행동을 궁금해 할 뿐 손자는 해토머리 산책을 가고 싶지도 갈 필요성도 느끼지 못한다. 이 사실을 시적주체는 아쉬워한다. 편리성에 익숙한 세대가 자연을 직접적으로 체험하지 못하고 자연이 주는 행복을 느끼지 못한 채 살아가는 상황을 시적주체는 아쉬워하지만 자연과 어우러져 사는 삶이 쉽지 않다는 것을 알기에 시적주체는 체념의식을 드러낸다. 시적주체는 해토머리 산책을 '우리 세대의 소일거리'라고 하면서 이마저도 오래갈 수 없을 것이라 인식한다. '보덕사 내려가는 이 비탈길도 어느 날엔가 직선의 포장도로로 곧추설' 것을 예감하고 있기 때문이다. 그래서 시적주체는 쓸쓸하다.

시적주체는 어떤 방법으로 자연을 대하든지 어떤 방법으로 농사를 짓든지 인간이 열심히 살아왔다는 것을 부정적으로만 말하지 않는다. '제 몫의 세상은 늘 붐볐'기 때문이다. 그렇지만 시적주체는 인간이 열심히 살아온 것에 만족을 할 수 없다. 붐비며 열심히 살았다면 만족감으로 충만해야 하는데 '어느새 텅 비어 가'는 것을 느낄 뿐이다. 곧 사라질 것들, 소멸할 것들에 대한 슬픔을 알고 있기 때문이다.

아직은 '작년을 지켜온 들길의 초본들'이 '해토바람에 눕'는 봄이다. 이런 풍경마저 곧 사라져 갈 것임을 알기에 시적주체는 아쉽고 쓸쓸하다. 두 번 다시 해토머리 산책의 풍경을 볼 수 없을 지도 모른다. 곧 사라져 갈 해토머리 산책 풍경을 안타까워하며 시적주체는 '흙먼지에 길이 풀썩 주저앉는다'고 말한다. 길은 갈 수 있어야 길인데 길이 주저앉는 것은 자연의 길, 성찰의 길, 느림의 길이 곧 사라지는 것을 의미하며 생태적 순환에 문제가 있음을 암시하는 것이기도 하다.

진정한 길에 대한 사유를 하게 하는 김명인의 위 시는 자연이 행복한 길과 사람이 행복한 길을 동시에 제시한다. 또한 고대로부터 자연을 경작해온 인간이 앞으로 무엇을 되찾고 어떤 방법으로 다시 자연과 어우러져 생태적으로 살 수 있을까를 고민하게 한다. 인간이 누리던 잔잔하고 고요하고 느린 행복이 왜 소중한지를 알려준다. 그것은 땅 즉, 자연과 한 몸으로 살았을 때 인간은 생리적으로 더 행복하다는 것이다.

요컨대 김영인의 위 시는 생태적 삶이 자연과 인간 모두를 행복하게 하기 때문에 더불어 살아가야 함을 제시한다. 뿐만 아니라 부조리한 사회 현실에서 거짓 봄이 아닌 진정한 봄맞이를 하고 싶은 소망이 담겨 있다. 생태적인 정치, 생태적인 사회 참여 등으로 바른 세계를 경작했으면 하는 바람까지 위 시는 진정한 생태적 봄의 의미를 확장시켜 준다.

삶과 죽음을 관조하는 푸른 갱지

김순애 시

1

현상 세계는 삶과 죽음이 뒤엉켜 있다. 현재는 과거의 응집이다. 모든 늙은 것들은 젊음으로부터 왔고 또 다른 새로운 젊음을 잉태하고 있다. 현상으로 보이는 봄은 꿈틀거리며 돋아나는 수많은 죽음이며 소멸은 새 순과 함께 이글거린다. 봄은 주검이 피워내는 꽃이다. 봄은 화사한 생명력이 환희를 노래하는 축제의 장이다. 그런 사월에 시적주체는 늙음을 본다. 과거의 역사를 본다. 주검을 본다. 죽음을 본다.

사월.
늙을 대로 늙은 공기가 날아온다.
라마승의 염불과
타르초의 달리는 말의 이동경로를 따라
날아오는 부연 사월의 공기는
몇 천 년 몇 만 년의 나이로 늙은 숨이다.
나는 쿨럭 거리는 공중을 마시고
답답한 과거의 목소리가 된다.

그렇다면 바람이란 얼마나
허술한 담장인가
봄이면 어김없이 사방에 장막을 치고
부옇게 시야를 가리는 것 들
계절을 따라 방향을 바꾸는
줏대 없는 바람의 담장

지상의 건축물들이 사라졌다
말 하지 말 일이다.
스스로 허물고 저기 공중을 날아다니며
다시 쌓일 곳 들을 찾고 있다.
자욱하고 먼 신기루의 방식으로
살아있는 사람의 폐 속에
쇠락해가는 고대의 도시를 건설하고 있다.
쿨럭 거리는 시간으로
소멸을 수소문해가고 있다.

- 「황사」 전문

사월 봄바람 속에서 황사가 온다. 황사는 이 땅에서 방금 생겨난 것이 아니다. 먼 역사 속에서 또는 먼 땅에서 불어온 늙은 공기다. 새봄에 불어오는 황사는 와 있는 봄과는 이질적이고 이 봄을 탁하게 하는 부정적인 요소이다. 봄의 화사함은 순식간에 '라마승의 염불' 처럼 무거워진다. 황사는 '타르초의 달리는 말의 이동경로를 따라' 온 바람 같다. 죽은 자를 위로하든 산 자를 위해 기도하든, 룽다나 타르초는 달리는 말갈기처럼 휘날리며 달려서 인간의 염원을 들어줄지도 모른다. 인간의 기도와 염원은 역사 속에서 얼마나 화사한 낯빛으로 이루어졌고 인간을 행복하게 만들었는가. 타르초의 신성함 안에는 인간의 고통이 들어 있다. 막대든

끈이든 붙들린 채 절박한 듯 신성하게 펄럭이는 깃발에 인간의 고통과 염원과 신성함이 함께 들어 있다.

　간절한 염원은 오랜 세월 반복되어 매달리고 펄럭였으나 오늘도 깃발은 여전이 펄럭이고 있다. 이것은 봄의 이미지와 함께 겨울이 이미지, 삶의 이미지와 함께 죽음의 이미지를 동시에 보여준다. 오랜 세월 이루어지지 않은 소망들은 무엇이 되었을까? 황사가 되어 구천을 떠도는 것은 아닐까? 늙을 대로 늙은 공기, 뿌연 사월의 황사는 '몇 천 년 몇 만 년의 나이로 늙은 숨'이면서 '쿨럭거리는 공중'이다. 이러한 늙은 바람은 시적 주체에게 '답답한 과거의 목소리'로 다가온다.

　이 바람은 스치고 지나가는 것도 아니다. '봄이면 어김없이 사방에 장막을' 친다. 온전하지 못한 불구의 봄은 '부옇게 시야를 가리'고 '계절을 따라 방향을 바꾸'는 듯하다. 인간의 염원이 지상에 얼마나 많은 건물을 세웠던가. 그 염원은 모두 타당한 것이었을까. 물론 타인을 위해 자연을 위해 타자를 향해 진정한 평화와 사랑을 기원하며 간절히 기도하기도 했을 것이다. 그런데 자아의 욕망 추구 만으로의 염원은 부질없는 것일 수 있다. 삶은 공空이므로. 그러니 세운 것은 무너지고 사라진다.

　역사는 시공간이 달라졌다고 해서 완전히 사라지는 것이 아이다. 흔적을 남긴다. 더구나 끝없는 욕망은 '스스로 허물고 저기 공중을 날아다니며 다시 쌓일 곳을 찾고 있'다. '자욱하고 먼 신기루의 방식으로' 와서 은근슬쩍 '살아있는 사람의 폐 속에 쇠락해가는 고대의 도시를 건설하'는 것이다. 건설은 소멸을 품고 있고 소멸은 건설을 품고 있는 아이러니 속에서 염원하는 인간은 '쿨럭 거리는 시간으로 소멸을 수소문해가고 있'는 것인지도 모른다.

2

천지만물은 생겨나면 언젠가 사라지게 된다. 이것은 우주의 이치이면서 세계의 운행원리이다. 생태적으로도 나타난 것은 언젠가는 사라진다. 생성과 소멸의 반복이 이 세계를 존재하게 한다. 사라지는 것 없이 나타나는 것만 있으면 이 세계는 포화 상태가 되고 생존 경쟁으로 늘 전쟁터일 지도 모른다. 그래서 우주의 이치는 생성과 소멸을 반복한다.

생노병사도 마찬가지다. 나타남과 사라짐 사이에서 생명이 가지게 되는 우주의 현상을 보여준다. 인간은 태어나면 병이 들기도 하고 늙어서 결국 죽게 된다. 인간이 의학을 아무리 발달시키고 생명을 더 연장시킨다고 하더라도 결국 인간의 수명은 백여 년 정도이다. 명예가 높거나 돈이 많거나 상관없이 결국은 모두 아프기도 하다가 죽음에 이르는 것이다. 죽음에 대한 문제를 해결하게 위해 종교가 많은 질문과 대답을 찾아내기도 하였지만 죽음 앞에 선 인간은 나라는 존재가 있다고 생각하기 때문에 유한함을 편하게 받아들이기 쉽지 않다.

신이 아니라 인간이기에 어쩔 수 없이 받아들여야 하는 것이라면 일체유심조—切唯心造임을 알고 마음을 바꾸는 수밖에 없다. 시적주체에게 깃드는 병도 가까워 오는 죽음도 어쩔 수 없는 생명 현상이다. 김순애 시의 시적주체는 생성과 삶과 소멸을 아름답게 승화시킨다. 시적주체는 현상에 대해 관조적이다. 현상을 있는 그대로 바라보고 고통도 죽음도 미적으로 형상화시킴으로써 김순애 시에서는 삶도 고통도 죽음도 따뜻하고 아름답다.

집 가까운 곳에 무덤을 썼다
봄이면 산사람의 집은 점점 늙어 가고

가까운 곳의 무덤은 파릇해진다
몇 년 전 상돌 새기면서
내 이름도 미리 입주 시켜 놓았으니
어쩌면 나는 저승과 이승을 오가며
두 집 살림을 하고 있는 셈.

양쪽을 오가며 무덤과
누옥의 아랫목을 지킨다
낮에는 상돌 아랫목이 따뜻하고
밤엔 집의 아랫목이 따뜻하다.
상돌에 앉아서는 새의 울음을 세고
밤의 아랫목에서는
울적한 마음을 깁는

가끔 무덤 앞에서 말을 건넨다.
다섯 살 먹은 손자가 할아버지를 찾았어요.
눈이 자꾸 침침해져요.
그러다 산사람의 집에 와 잠든다.

나의 죽음도 집에서 십여분
수시로 그곳에서 풀도 뽑고
별일을 살핀다.
언젠가는 산사람의 집도
무덤도 고요한 날이 올 것이다.

－「가입주」 전문

   죽음은 멀리 있지 않다. 세상에 존재하는 모든 생명은 지금 살고 있는 이 흙에서부터 생겨났고 다시 흙이 된다. 수많은 종교에서도 인간을 흙으로 빚어 만든다. 그리스로마신화나 성경이나 마찬가지다. 흙은 생명의 고향이다. 원시시대에는 대지를 숭배 대상으로 삼기도 했다. 그러니 인간의 매장문화는 태어난 곳으로 다시 돌아가는 자연의 이치를 그대로 행한 것이기도 한다.

죽음이 운명이라면 죽음을 준비하는 것은 현명한 일이다. 시적주체는 죽은 후를 대비하여 무덤을 이미 준비해 둔 상태다. 그것도 집과 가까운 곳이다. 몇 년 전에 이미 상돌을 새기고 이름까지 입주시켜두었다. 시적주체에게 이승과 저승은 이미 이 세계에 공존한다.

아직은 몸은 입주하지 않았기에 가입주 상태다. 죽음을 관조하고 현상을 그대로 받아들이고 준비하는 태도는 성숙한 인간이 죽음에 대해 할 수 있는 최선인지도 모른다. 죽음에 대한 두려움과 고통은 수많은 종교에서 해결하려고 했던 문제다. 석가모니도 죽음을 있는 그대로 보고 지혜롭게 극복해내는 방법을 찾았다. 생노병사의 고통을 해결하기 하기 위해 출가한 것을 보더라도 죽음은 인간이 극복해야할 큰 고통인 것이다.

석가가 깨달은 바대로 삶과 죽음을 있는 그대로 보고 일체가 공空이며 무아임을 깨달으면 죽음은 극복된다. 인연법에 의해 생기는 몸은 인과법에 따라 성장하고 병에 걸리기도 하다가 결국 늙고 소멸한다. 따라서 무아이다. 모든 것은 공이기 때문에 나타나고 사라지는 모든 것이 공이다. 생명의 호흡 속에서 삶에 집착을 하면 고통이 따르고 그 속에서 죽음을 보면 생노병사와 고통과 번민에서 벗어날 수 있는 것이다. 시적주체는 삶과 죽음을 다르게 보지 않는다. 삶 속에서 만물이 소생하는 봄에 '점점 늙어 가' 는 산 사람의 집을 볼 줄 알고 죽음을 상징하는 무덤에서 돋아나는 파릇한 생명력을 볼 줄 아는 관조의 눈을 가졌다.

이렇듯 삶이란 삶과 죽음 양쪽을 오가는 것인지도 모른다. 시적주체는 매일 양쪽을 오가며 '무덤과 누옥의 아랫목' 을 지킨다. '낮에는 상돌

아랫목이 따뜻'함을 알고 '밤엔 집의 아랫목이 따뜻'함을 안다. 죽음을 새긴 '상돌에 앉아서' 생명을 노래하는 '새의 울음을 세' 기도 한다. 요 컨대 인간은 삶의 공간에서 죽음과 '두 집 살림을 하고 있는 셈'이다. 몸 에서 호흡이 사라지면 살던 집에서도 무덤에서도 인간으로 잠시 나타났 던 한 존재가 고요로 사라진다. 죽은 자는 말을 할 수 없으니 고요하겠 으나 입주한 무덤에는 더 많은 생명이 쉼 없이 꿈틀댈 것이다.

3

죽음에 대한 시적주체의 이러한 태도는 병과 늙음을 받아들이는 자세 에서도 드러난다.

닳은 무릎 속을 꺼내고
둥근 무릎을 넣었다는 지인을 문병했다.
방향은 시큰거리다 못해
결국에는 찢어질듯 아팠다고 했다.
그렇다면 뼈와 뼈 사이엔
어느 둥근 소혹성하나 들어있어
하루를 돌고. 또
평생을 도는 것이다.

둥근 뼈를 생각하다
쟁반같이 얇아진 내 무릎이
쟁쟁쟁 소리를 내며. 두들기며 찌그러지며
얼마나 더 돌아 갈 건지
낡아 가는 내 뼈를 생각한다.
빨간 사과 같은

어릴 때 먹던 누룽지 뭉치 같은
혹은 밝은 전구 알 같은
뼈를 넣고 싶다는 생각을 하는 것이다.

뼈는 언제 닳는가?
버팅기던 힘, 끌려가지 않으려던 순간들이나
안절부절 못하고 엉거주춤 하던
그 순간들이
둥근 뼈들을 마모시켰을 것이다.
이제 둥근 새 뼈를 넣은 지인에게
걸어 다니지 말고 굴러다니라고
빵빵거리는 경적 하나를 선물해야겠다.

- 「둥근 걸음을 넣다」 전문

걷는 행위는 인간의 문명과 문화를 발달시키는 원동력이었다. 수많은 인간들은 끊임없이 걷고 뛰었다. 이것이 현실을 열심히 잘 살아내는 방법으로 알고 욕망에 속도를 가한다. 빠른 욕망의 속도가 인간의 무릎을 상하게 하고 뼈와 뼈 사이의 유연함도 망가뜨렸을 것이다. 그러나 시적주체는 무릎 연골이 망가진 더 큰 원인으로 인간이 자연의 순리를 거스른 것에서 찾는다. '뼈가 언제 닳는가? 버팅기던 힘, 끌려가지 않으려던 순간들이나 안절부절 못하고 엉거주춤 하던 그 순간들이 둥근 뼈들을 마모시켰을 것'이라고 시적주체는 말한다. 우주의 순리대로, 상선약수上善若水의 마음으로 살지 않고 자아를 고집하는 것에서 오히려 몸이 상하게 된다는 것이다.

시적주체가 무릎 뼈가 닳은 것이 인간이 우주의 이치를 거슬렀기 때문으로 보는 데는 특별한 상상력으로 깨달은 이치 때문이다. 시적주체는 무릎에 있는 연골을 '어느 둥근 소혹성하나 들어있'는 있는 것으로 본다. 혹성은 태양 주위에서 궤도를 그리며 돌고 있는 천체로 유성이라고도 하고 행성이라고도 한다. 수성, 금성, 지구, 화성, 목성, 토성, 천왕성, 해왕성 등이 그것인데 이 혹성들의 매일 같은 궤도를 일정하게 돌기 때문에 태양계의 균형이 유지되고 있다.

혹성 지구도 하루에 매일 스스로 돌면서 태양의 궤도로 거의 정확하게 일 년에 한번 도는 것이다. 지구의 평생은 궤도를 벗어나지 않고 태양의 주위를 돌고 있음으로 존재한다. 혹성이 일정하게 정해진 규칙대로 돌고 있기 때문에 태양도 존재하고 태양계도 존재한다. '하루를 돌고. 또 평생을 도는' 혹성처럼 무릎 연골은 한 사람의 인간을 존재하게 하고 살아가게 한다. 한 사람의 무릎 혹성은 돌면서 한 사람만을 존재케 한 것이 아니라 주변의 존재들과 관계 맺고 공존하게 한다.

우주 운행의 원리가 깨어진 마모된 무릎은 '시큰거리다 못해 결국에는 찢어질듯 아' 프다. 고통은 걸음을 걷지 못하게 하고 주저앉게 만든다. 둥근 것은 둥글어야 잘 굴러가기 때문에 둥글지 못한 '닳은 무릎 속을 꺼내고 둥근 무릎을 넣'어야 견딜 수 있다. 시적주체는 이렇듯 닳은 무릎을 둥근 무릎으로 교체한 지인을 방문하면서 지인의 일로만 보지 않는다. 시적주체는 낡아 가는 자신의 무릎 뼈를 생각한다. '쟁반같이 얇아진' 무릎이 '쟁쟁쟁 소리를 내며. 두들기며 찌그러지며 얼마나 더 돌아 갈 건지' 염려가 되는 것이다.

시적주체는 둥근 뼈를 생각하다가 '빨간 사과'를 생각한다. 빨간 사과의 예쁘고 반짝이는 생명력을 세상에 버팅기다 닳은 연골 대신 교체하고 싶어진다. 다시 사과처럼 예쁘게 살아보고 싶은 마음이 '어릴 때 먹던 누룽지 뭉치'도 불러온다. 고소한 누룽지를 둥글게 말아 먹는다는 것은 흡족함과 사랑과 생명력을 먹는 것이다. 둥글게 뭉친 누룽지는 추억과 그리움과 생명의 근원지로 데려다 주는 역할을 한다. 아직은 세상 순리에 억지로 버팅기거나 순리를 거스르는 일들을 하지 않은 순수의 상태, 유년의 순수한 오두막에서 모락모락 피어오르는 따뜻한 숨결 같은 것이다. 누룽지 한 뭉치의 둥근 이미지는 삶을 잘 굴러가게 하는 원동력으로 충분한 의미를 생성시킨다.

시적주체는 무릎을 지탱하는 연골을 '밝은 전구 알'로도 비유한다. 밝은 전구알은 혹성의 이미지와도 연결된다. 밝은 전구알은 태양을 돌면서 태양 빛을 순수하게 받아 빛나는 혹성이 된다. 빛나는 혹성이 밤하늘을 아름답게 수놓은 것처럼 밝은 전구알은 우주의 운행 원리로 밝은 빛을 내고 주위를 환하게 밝힌다. 그런 전구알처럼 시적주체는 빛나는 존재로 세상의 일부나마 밝히면서 이 세계에 머물다 가고 싶은 것이다. 만약 그럴 수만 있다면 '뼈를 넣고 싶다는 생각'을 해볼 수도 있지 않겠는가.

요컨대 시적주채는 살아가는 일은 순리를 거스르는 것이 아니라 순리대로 둥글게 굴러가는 생태적 삶이라고 본다. 그래서 지인에게 '굴러다니라고' 말을 하고 싶어진다. 자연스러운 굴러감에 처음에는 적응하지 못하는 사람도 있을 것이기 때문에 시적주체는 경적을 선물하고 싶어 한다. 시적주체는 무릎 연골의 마모를 늙음으로 보고 슬퍼하는 것이 아니다. 순리를 거스르며 살아온 행적에 의한 부작용으로 마모를 보는 발상이 앞 시에서 보여준 죽음에 대한 시각과 별반 다르지 않다. 우주 운행의 순리를 둥근 마음으로 받아들이고 둥근 마음으로 긍정적으로 살아가는 것이 생태적 현자인 것이다.

또 다른 시에서도 늙음과 병듦에 대한 관조와 극복 양상이 드러나는데 이 또한 현자의 마음으로 승화시킨다.

푸른색이 사라질 때 가을은 오는 법이지요. 초록빛이 많을 때는
가까운 거리가 잘 보이지만 봄날. 눈이 멀 수도 있다는 진단을 받습니다.

그러고 보니 마당에 초록 앞이 무성한 나무에 가려 잘 보이지 않던 저쪽 봄이
있었습니다. 녹내장의 철. 가까운 곳이 안보이고 먼 곳이 잘 보이는 철이라 합니다

푸른 녹 창궐할 때 멀리보지 못했습니다. 그저 마당 안쪽의 시절이라고만 여
겼습니다.

요즘. 눈 안에서 푸른 풀들이 자라면서 흔들리고 있습니다, 늙은 눈에 찾아
온 초록이라 고맙지 않습니까? 허황된 거리를 먼 곳을 보지 말라는 달고 단 충
고입니다.

초록이 끝나고 나면 거기. 가장 먼저 불그스름하게 익어가는 열매가 있을 것
입니다.

－「녹내장」전문

녹내장은 안압 상승으로 시신경이 눌리거나 혈액 공급이 원활하지 못
해 신경에 생기는 질환이다. 시신경에 장애가 생기면 시야 결손이 나타나
고, 말기에는 시력을 잃게 된다. 시신경은 눈으로 받아들인 빛을 뇌로 전
달하여 '보게 하는' 신경이기 때문이다. 위 시 「녹내장」은 늙음과 병듦
을 바라보는 깊이 있는 시선이 돋보인다. 시적주체는 생성과 소멸을 직시
하고 있으며 있는 그대로의 현상을 받아들이고 미적으로 삶을 승화시키
는 힘을 가지고 있다.

봄 여름 가을 겨울은 일 년을 주기로 태어남과 삶과 죽음이라는 우주
의 원리를 계절의 변화를 통해 잘 보여준다. 만물이 연초록으로 소생하
고 꽃이 피어나는 봄과 초록 생명력으로 활활 타오르는 여름과 푸른빛

이 갈색 빛으로 바뀌고 소멸을 준비하는 가을과 침묵 속에서 또 다시 태어날 생명을 품고 있는 겨울은 인간의 삶과 별반 다르지 않다. 유한한 생명이 품고 있는 무한한 생명력은 삶과 죽음이 결코 하나가 아님을 말해 주는 것이다.

왕성한 생명력을 상징하는 '푸른색이 사라질 때 가을이 오는 법'이다. 시적주체는 봄날 눈이 멀 수도 있다는 녹내장 진단을 받는다. 봄이면 세상은 환한 연초록 빛으로 빛나겠지만 시적주체는 암흑인 봄을 맞이할 수도 있다. 이런 상황에서 시적주체는 앞의 시에서 보여준 것과 같이 늙음에서만 원인을 찾지 않는다. 몸의 병듦이나 늙음은 시적주체에게 그동안 살아왔던 삶을 성찰하고 반성하게 하는 매개체로 작용한다. 시적주체는 눈앞에서 보이는 것만이 삶이고 진실인 줄로 알고 살아왔던 삶을 오히려 뒤돌아본다. '마당에 초록 앞이 무성한 나무에 가려' 진실을 보지 못했던 것이다. 바로 눈앞에 보이는 사실만으로 그저 그 현상만을 즐기며 살았음을 깨달은 것이다. 녹내장이 오기 전 마당 앞에 초록 잎으로 무성했던 나무를 바라보는 것이 전부인 줄로 알고 만족했으나 사실 나무는 시야를 가리는 초록 벽, 녹내장이기도 했다. 초록 벽 너머에 너무 다른 계절이 있는 줄을 녹내장이 오고 난 후에야 깨달은 것이다. 푸른 벽 너머에 '잘 보이지 않던 저쪽 봄이 있'었던 것이다.

시적주체는 녹내장도 하나의 계절로 분류한다. 녹내장이 오기 전에는 가까운 것을 보는 것에만 만족하여 먼 것은 못 보았다. '녹내장의 철'은 가까운 곳은 안 보이고 '먼 곳이 잘 보이는 철'이다. 진실을 볼 수 있는 인생의 철을 비로소 맞이한 것이라는 역설은 병과 늙음과 죽음에 대한 일반적인 상식을 깨뜨린다. 오히려 '녹내장의 철'이 진리의 세계를 보여 주는 매개체로 역설적 역할을 하게 된다.

시적주체는 '푸른 녹 창궐할 때 멀리보지 못했습니다. 그저 마당 안쪽의 시절이라고만 여겼습니다.' 라고 되새긴다. 시적주체는 몸 밖에서 현상으로 보였던 것의 허구성을 깨달은 것과 더불어 녹내장이라는 질병이 오히려 늙어가는 몸에서 진실을 보는 청춘의 푸른 들판을 선물 받았다고 본다. '요즘. 눈 안에서 푸른 풀들이 자라면서 흔들리고 있습니다. 늙은 눈에 찾아 온 초록이라 고맙지 않습니까?' 라는 역설은 늙음과 젊음이 공존하는 공간, 죽음과 삶이 공존하는 공간으로 녹내장인 눈을 승화시킨다.

　이러한 역설이 말해주는 것은 허황된 것, 멀리 있는 것, 소유하지 못할 것에 대해 욕망하고 아쉬워할 필요가 없음을 말해준다. 즉 내면에 있는 심미안으로 진리를 바로 보는 것의 중요성을 드러낸다. 시적주체가 던져주는 희망의 메시지는 삶의 끝에는 죽음이 있는 것이 아니라 결실이 있는 것이라고 제시한다. '초록이 끝나고 나면 거기. 가장 먼저 불그스름하게 익어가는 열매가 있을 것'이므로 삶과 죽음이 뒤엉켜 있고 때로는 고통이 있는 현실 세계의 존재 가치는 아름답다. 또 다른 생명이 될 열매를 주는 빛나는 삶이기 때문이다.

4

　　푸른 更紙속에 누군가 찍어놓은 마침표 같은 바위 하나 돋아나 있다
　　그동안 셀 수 없는 물의 페이지들이 밀려와 부서졌지만
　　어디를 봐도 변변한 문장이 없다
　　한 밤, 등대 불빛이 검은 필체의 문장을 비추기도 하지만
　　고작 늦은 귀향의 어선 몇 척 지나갈 뿐이다

　　물의 겉장을 열고 바다 새 몇 마리 날아간다

푸른색으로 염색된 갱지
바람이 사나워지면 급하게 넘어간 페이지 위로 울렁거리는 피항(港)이 있다

흰 거품을 키우는 푸른 紙面
누군가 저 밑에서 파란 열매를 넣고 맷돌을 돌리는 것 같은
그 속 들여다보면 색색의 지느러미들이 자라고 있는 푸른 종이

한 권 달의 번역본 같다

한 번도 접혀지거나 구겨진 적이 없고 찢어진 적 또한 없이
비릿한 냄새가 나는 낱장

바람 부는 날 유리의 매끈한 낱장 속에서 책 밖에 한 때를 읽고 있다
가끔 무음으로 지나가는 자막 몇 줄이 있다

– 「푸른 갱지 한 장」 전문

　　김순애 시에서 나타나는 생성과 소멸, 삶과 죽음의 이미지는 '푸른 갱지 한 장'으로 귀결된다. 시인으로서 자의식은 결국 인생의 모든 깨달음과 의미를 지면에 펼쳐 놓는 것이다. 지면 안에 삶이 있고 죽음이 있고 의미가 있다. 김순애 시에서 지면은 삶이요 죽음인데 고급스럽고 특별한 것이 아니다. 푸른 갱지 같이 소박한 바다 위에 마침표 같은 점을 찍는 것이 시인으로서의 의무이며 책무인 듯하다. 마침표는 마치 바위처럼 단단하다.

　　시적주체는 '그동안 셀 수 없는 물의 페이지들이 밀려와 부서졌지만 어디를 봐도 변변한 문장이 없'다고 고백한다. 이것은 다른 누구의 평가이기 이전에 스스로 인생을 평가한 것이다. 지극히 양심적이고 겸손한 이 표현은 소망을 다 충족하지 못한 아쉬운 인생에 대한 서운함을 드러내

는 것이기도 하다. 그럼에도 불구하고 사실은 '한 밤, 등대 불빛이 검은 필체의 문장을 비추'는 것은 의미심장한 일이다. 캄캄한 바다에 있는 등대는 길을 찾는 사람에게는 생명과도 같은 것이다. 더구나 '늦은 귀향의 어선 몇 척'이 보는 등대는 쓸쓸하고 망망한 인생의 희망이다. 이 얼마나 의미 있는 일인가. 그런데 시적주체는 이러한 행적을 결코 자랑하지 않는다. 겸손하게 단지 몇 척의 배가 지나갔다고 말한다.

지면에도 수심이 있다. '흰 거품을 키우는 푸른 紙面'이기에 지면 위에 펼쳐지는 세계는 무궁무진하다. '누군가 저 밑에서 파란 열매를 넣고 맷돌을 돌리는 것 같'아서 시인은 끊임없이 상상력을 길어 올리고 삶의 진실을 길어 올렸다. '그 속 들여다보면 색색의 지느러미들이 자라고 있는 푸른 종이'가 있기에 시인은 그 안에서 푸른 종이를 꺼내 들었던 것이다. 시적주체에게 그 곳은 세상 어떠한 풍파가 일어도 안전한 곳이다. '바람이 사나워지면 급하게 넘어간 페이지 위로 울렁거리는 피항이 있'기 때문이다. '물의 겉장을 열고 바다 새 몇 마리 날아'가기도 하니 푸른 갱지는 시적주체에게 자유를 준다. 마치 신비를 풀어 자유롭게 날아가는 영혼처럼 또는 멀리 공중에 떠있는 달의 신비를 번역한 것과도 같다.

시적주체에게 지면은 '한 번도 접혀지거나 구겨진 적이 없고 찢어진 적 또한 없이' 끈질긴 생명력으로 존재한다. 시적주체에게 지면은 '비릿한 냄새가 나는' 살아서 파닥이는 날장이다. 여기서 수많은 감각적인 언어들이 생성되고 자유가 생성되고 소멸되고 다시 생성되기에 꿈과 자유가 있는 곳이다. '가끔 무음으로 지나가는 자막 몇 줄'도 있으니 지면의 세계에서 죽음도 삶 속에서 아름답고 고요히 지나간다.

제3부

공空과 색色을 넘어
생태적 사유로

공空과 색色을 넘어

송준영 시

그으면 사라지고 사라지면 긋나니, 창 밖
강변 젊은이 한 쌍이 마주보고 웃고 있다.

손가락으로 허공에 원을 긋지 말라.
원 밖에 원이 있고
원 안에
원이 있다.

무엇이 일색의 소식인가?

한빛 한빛 한빛, 이미 빛 안 출렁이는
파도소리인가.
가을 街角, 생선 파는 노파 눈썹 찡긋
해를 가린다.
한빛(一色)

마른나무 바위 앞 갈림길도 많아	枯木岩前差路多
나그네 여기 와서 다 헛디뎌 넘어진다	行人到此盡蹉跎
백로가 눈에 서도 같은 색이 아니요	鷺鷥立雪非同色
명월과 갈대꽃, 닮음도 다름도 아니니	明月蘆花不似他

알았다 알았다 할 땐 알은 것 아니고　　　　　了了了時無可了
깊고 깊고 깊은 곳도 역시 웃음거릴 뿐　　　　玄玄玄處亦須呵
그대 위해 남몰래 현중곡을 부르나니　　　　　慇懃爲唱玄中曲
허공 속의 저 달빛 꺾어올 수 있겠느냐　　　　空裡蟾光擢得麼

- 송준영, 「한빛一色」, 『시와세계』, 2016년 가을호.

중국 당나라의 선승禪僧인 동안상찰同安常察은 조동종曹洞宗의 가풍과 수행자의 실천 지침 등을 칠언율시로 「십현담十玄談」을 썼다. 송준영 시인의 시 「한빛一色」에 인용된 시는 「십현담十玄談」 10수의 게송偈頌 중 마지막 수 '일색一色'이다. 이것은 『경덕전등록景德傳燈錄』 제29권에 실려 있다. 우리나라에는 조선시대 매월당梅月堂 김시습이 한문 주석을 붙인 『십현담요해十玄談要解』와 한글로 옮긴 『십현담 언해十玄談諺解』가 있고, 1926년 만해萬海 한용운도 「십현담十玄談」에 주해를 붙여 『십현담주해十玄談註解』를 펴냈다. 성전암에서 10년간 정진하던 성철 스님이 1965년 문경 김용사에서 열었던 첫 공식법문 내용도 '십현담'이었다. 이런 전통을 가지고 있는 「십현담十玄談」 마지막 수를 현대적 선시의 세계로 들여온 송준영의 시는 선시를 새롭게 표현하고 해석하여 시에 중량감을 준다.

송준영 시인의 「한빛一色」은 「십현담十玄談」 '일색'을 뛰어 넘어 쓴 시다. 송준영 시인이 일색을 인용한 이유는 독자에 대한 배려라 할 수 있다. 깨달음의 경지에 다다르는 사람은 알면 즉시 비운다. 강을 건너고 나면 뗏목을 버린다. 문자를 통해 깨달음의 길을 안내 받아 깨달았다면 그 즉시 문자를 버린다. '묘한 본체는 원래 일정하게 머무는 처소가 없고 전체가 한 몸'이므로 모든 경계를 초월한다. '보리와 번뇌는 본래가 똑같이 평등' 한 것처럼 송준영 시는 추상적인 선시를 현대적 감각으로 이미 지화시켜서 진리를 표현하고자 한 것이다.

송준영 시에서는 공空과 색色을 경계 짓지 않는다. 공을 알았으니 색불이공 공불이색이다. 시적주체는 '손가락으로 허공에 원을 긋지 말라.' 고 강한 명령적 어조로 말한다. '마른나무 바위 앞 갈림길도 많' 고 '나그네 여기 와서 다 헛디뎌 넘어진' 것을 시적주체는 이미 알고 있기 때문이다. 세상 많은 일들이 경계를 지음으로써 발생된다. 너와 나라는 경계, 우리와 너희들이라는 경계, 옳고 그르다는 경계 등으로 세상은 혼란스럽다.

하나라고 원을 그리고 깨달았다고 하더라도 그것은 허공에 흩어져버리는 연기나 구름과 같다. 알았다고 원을 그리는 순간 이미 아는 것이 아니다. '백로가 눈에 서도 같은 색이 아니' 듯이 '명월과 갈대꽃, 닮음도 다름도 아' 닌 것이다. 다르다는 경계도 진리가 아니고 같다는 것도 경계이며 진리가 아니다. 경계를 뛰어넘지 않으면 깨달음 바깥에서 돌고 돈다. 그래서 시적주체는 '원 밖에 원이 있' 으니 깨달았다고 오만해 하지 말라고 경고한다. 완전히 비웠다고 그린 '원 안에' 는 또 다른 '원이 있' 음을 알라는 것이다. 원은 무량해서 그릴 수가 없다. 진리로 표현될 원이 없으니 원을 그릴 수가 없다. 더구나 손가락으로 허공에 그리는 원이야 '그으면 사라지고 사라지면 긋' 는 어리석음에 지나지 않는다.

'알았다 알았다 할 땐' 안 것 아니다. '깊고 깊고 깊은 곳' 을 나그네가 깨달았다 할지라도 '웃음거리' 밖에 되지 않는다고 「십현담十玄談」에서는 말하고 있다. 시적주체는 한걸음 더 나아가 '창 밖 강변 젊은이 한 쌍이 마주보고 웃고 있다.' 라는 화두를 툭 던진다. 조주스님에게 한 스님이 달마대사가 인도에서 동쪽으로 온 까닭이 무엇이냐고 묻자 조주스님이 '뜰 앞의 잣나무' 라 답한 것처럼 전혀 다른 곳으로 시선을 돌리게 한다. 뿐만 아니라 「십현담十玄談」 '일색' 에서 '허공 속의 저 달빛 꺾어올수 있겠느냐' 라고 할 때 '한빛 한빛 한빛, 이미 빛 안 출렁이는 파도소리인가' 라는 의도적 의문형으로 이미 마음속에 부처가 있다는 것을 일깨워준다.

'가을 街角, 생선 파는 노파 눈썹 찡긋 해를 가린다' 는 일종의 할喝로작동된다. 송준영 「한빛一色」의 이 할은 「십현담十玄談」 '일색' 에서 하는 비유를 능가하는 의미심장함이 들어있다. 「십현담十玄談」 '일색' 에서는 먼저 '마른나무 바위 앞 갈림길' 이 많아서 '나그네 여기 와서 다 헛디뎌 넘어진다' 는 것을 깨닫는다. 다음에는 백로와 눈, 명월과 갈대꽃이닮음도 다름도 아님을 순차적으로 깨닫는다. 뒤이어 현중곡을 부르고 난뒤 그제서야 '허공 속의 저 달빛 꺾는' 깨달음에 이른다. 송준영 「한빛一色」은 '손가락으로 허공에 원을 긋지 말라' 고 한마디 던진다. 그 뒤 가을 '길모퉁이' 에 쪼그려 앉아 생선 파는 노파가 '눈썹 찡긋' 하는 작은행위로 해가 가려짐을 보여줌으로써 바로 '한빛一色' 의 경지에 이른다.이런 의미에서 송준영의 「한빛一色」은 옛 선지식인의 선시를 능가한다.

세상과 접촉, 시의 존재

최정례 시

지금 뭐해? 일, 무슨 일? 그냥 일, 바빠? 아니 안 바빠. 헛소리 해도 돼? 해 봐.
나 헛소리할 권리 있다. 왕창 헛소리하고 싶다. 시 읽어도 돼? 안 돼, 시가 싫어,
왜? 그냥 가려운 게 싫어, 긁어대기도 싫고, 아, 그러지 말고 다른 세상과 접촉
을 해봐, 싫어, 싫단 말이야, 내 앞에서 절대 시 읽지 마, 짜증나, 그렇게 가시털
세우지 마, 곧장 사라져 줄게, 족제비처럼, 족제비 나뭇가지 하나 입에 물고* 물
에 빠지러 가는 것처럼 이제 간다. 무슨 소리야? 벼룩을 일망타진 하려면 우선
족제비가 제 꼬리를 물에 담가야 돼, 그러면 벼룩들은 족제비 배로 허리로 피신
하지, 다음엔 가슴까지 목까지 잠기게 하는 거야, 벼룩들이 머리로 몰려가 우글
대겠지, 그때 온몸을 물에 담가, 나뭇가지 물고 있는 입만 달랑 띄워 놓고, 그럼
벼룩들이 나뭇가지로 옮겨 가겠지? 그러면 이제 해방이야, 나뭇가지 하나 둥둥
떠다니고 거기서만 벼룩이 우글대겠지. 시는 이제 몸에 없어, 됐지? 물에 둥둥 떠
다니게 내버려 둬.

* 이덕무 『이목구심서』에서 인용 변주

– 최정례, 「고슴도치에게 시 읽어주기」, 『현대시학』, 2016년 10월호.

시란 무엇으로 존재하는가. 고슴도치에게 시는 가시로 가득한 몸을 가렵게 하는 끔찍한 것일 뿐이다. 시가 몸에 달라붙었다고 긁으면 스스로 가시에 찔리는 격이 되기 때문에 손을 댈 수도 없다. 그저 시로 인한 가려움에 움찔움찔 몸을 떨며 고진감래해야하는 것인가.

시가 왜 가려운 것일까. 시는 자신의 내면을 일깨우기 때문이다. 시는 과거에 경험했던 슬픔, 그리움, 기쁨, 환희, 외로움, 괴로움 등을 불러온다. 현실의 나를 바로 인식하게 하고 현실 세계를 이해하게 한다. 때로는 현실을 초월한다. 어떻게 살아갈 것인가에 대한 인문적이고 생태적인 방법을 감지하게 하고 다시 현실을 둘러보게 한다. 심리적 인지적으로 일깨우는 일련의 자극들과 사건들이 고슴도치를 가렵게 하는 것이다. 시는 고슴도치가 현실에 안주하도록 내버려두지 않는다.

시를 읽어 주겠다는 또 다른 시적주체는 그런 고슴도치에게 시를 통해 다른 세상과 접촉해보라고 권한다. 시를 경험하는 것은 눈에 보이는 사물의 이면에 있는 진실을 알아가는 것이다. 말할 수 없는 것을 말하는 시에게 귀를 기울여서 말할 수 없었던 것들의 몸과 마음을 아는 것이다. 안일하게 눈에 보이는 현상만을 진실이라 믿으며 순응하던 사고의 틀을 깨고 무엇이 진실인지를 아는 일이다.

최정례 시인은 이덕무의 『이목구심서』에 나오는 족제비가 물고 있던 나뭇가지의 역할에 주목한다. 여기서 나뭇가지는 내 몸에서 몰아내야할 것들을 다 보낼 수 있는 용도로 쓰인다. 처음 벼룩을 구해주었는데 구해준 벼룩이 온몸에 붙어 괴롭힌다. 그래서 족제비는 꼬리부터 물 속에 넣고 차츰 온몸을 물속에 다 넣는 동안 벼룩들은 머리로 몰리게 된다. 머리마저 물에 담그면 벼룩은 살아남으려고 막대기로 다 오른다. 그 때 막대기를 놓아 버림으로써 족제비는 벼룩에게서 완전히 해방된다.

벼룩에 관한 경험은 족제비에게 새로운 세상과의 접촉이다. 새로운 세상과의 접촉에서 자아나 세상에 대해 깨닫고 이해하게 한다. 온몸을 훑고 지나간 시의 경험은 감각적으로 몸으로 스민다. 『백유경』에서 말하듯이 물을 건너는 사람이 뗏목을 타고 물을 다 건너고 난 후에는 뗏목을 버려야하는 것처럼 시도 언젠가는 버려야한다. 뗏목이 그저 뗏목으로 존재하면서 존재 가치를 수행하고 버려지는 것처럼, 시는 시 자체로 존재하며 시의 의미와 미적 진실을 발산하기 때문에 시를 통한 느낌과 깨달음을 얻은 후에는 시를 시 자체로 내버려 둬야한다. 시는 의미 이전에 존재 자체만으로 미적 의의를 주기 때문에 더욱 생태적이다.

슬픔인 적이 없는 슬픔의 기도

이기성 시

우리가 본 그 새는 조금 뚱뚱하고 우울증을 앓고 있었다. 틀림없이 노란 갈퀴를 물 밑에 숨기고 있었을 것이다. 그것은 흔들리는 물결을 닮은 발가락을 가지고 있었을 것이다. 고집스럽게 둥그런 눈을 뜨고 우리가 떠나가기를 기다리고 있었다. 소낙비처럼 우리는 강을 건넜다. 황량한 들판을 내달렸다. 우리는 검은 술에 취하고 머리가 헝클어지고 늙은 사람이 되었다. 오래된 집의 문을 열었을 때 식탁위에 앉아있는 새를 보았다. 우리는 그 새를 결국 슬픔이라 부르기로 했다.

– 이기성, 「청춘」, 『시와세계』, 2016년 가을호.

실존은 슬픔이다. 여기 슬픔이 있다. 저기 슬픔이 간다. 머리가 헝클어지고 '술에 취'한 슬픔이 웃고 있다. 차가운 강물을 맨발로 건너는 슬픔이 있다. 어디로 가는 줄도 모르고 '소낙비처럼' '강을 건'너는 슬픔이 있다. '흔들'거리는 강 속에 발을 담그고 발등에 물결무늬가 새겨진 채 울고 있는 슬픔이 있다. '노란 물갈퀴' 발을 물에 담그고 '우울'한 낯빛으로 서 있는 슬픔이 있다. 여기 어리거나 젊거나 늙은 슬픔이 있다. 슬픔을 보고 슬픔이 된 슬픔이 있고 슬픔을 피하느라 슬픔이 된 슬픔이 있다.

회색 모자를 쓰고 자줏빛 열매를 찾으며 거리마다 즐비하게 슬픔이 있다. 열매를 찾느라 여기저기 가시에 긁힌 슬픔이 있다. 슬픔이 슬픔인 줄 모르고 웃고 있는 슬픔이 있다. 짓밟히는 슬픔이 있고 짓밟는 슬픔이 있다. 밍크코트를 입고 번쩍이는 차를 타고 도로 위를 질주하는 슬픔이 있다. 빌딩 꼭대기 금고를 가득 채운 슬픔이 있다. 밤새 춤추는 슬픔이 있고 구름이 된 슬픔도 있다. '청춘'의 기쁨이 늙은 슬픔이 되어 문 밖에 놓인 의자에 앉아서 졸고 있다. 청춘의 슬픔이 나무그늘에서 쉬고 있다. 슬픔이 슬픔인 줄 모르고 '소낙비처럼' '소란스럽게' 뛰어다니다가 늙어버린 슬픔도 여기 있다.

슬픔을 느끼지 않는 사람이 있을까. 슬픔을 모르는 사람은 사람다운 사람이 아니리라. 타인의 슬픔을 알고 그 슬픔을 함께 울어주고 위로하면서 더불어 살아가는 게 인생이다. 타인의 슬픔을 안다는 것은 시적주체에게도 슬픔이 있었고 슬픔을 안다는 것이다. 슬픔이 무엇인지 모르는 사람은 타인의 슬픔을 온전히 슬퍼해 줄 수 없다.

일반적으로 어릴 때는 타자보다는 자신의 슬픔으로 운다. 성장해가면서는 타자와 사회의 슬픔에 관심이 많아진다. 성숙한 인간이 되기 때문이다. 상처의 정도, 눈물의 농도 등은 한때 시적주체가 경험한 자신의 슬픔과 별반 차이가 없다. 더 성숙해지면 슬픔을 슬퍼하지 않는다. 슬픔을 보고 그것이 슬픔임을 순리로 받아들인다. 타자의 슬픔에게 해줄 수 있는 것이 무엇일까를 생각하고 슬픔을 덜어내 주고자 한다. 자신의 슬픔은 그냥 슬픔인 채 두고 타인의 슬픔을 어루만져 주는 게 기쁨이 된다,

슬픔은 추운 겨울 코트도 없이 황량한 들판을 걷는다. 슬픔은 절벽 끝에서 더 이상 갈 데가 없어 울고 서 있다. 슬픔은 사막의 한가운데 홀로 선 낙타다. 가슴으로 파고드는 모래바람을 어쩌지 못하고 긴 속눈썹 끔

뻑이며 보이지 않는 길을 타박타박 걷는다. 그러나 타자를 향한 내 슬픔은 양초처럼 여리고 말랑하고 따뜻하다. 꺼질 듯 흔들거리면서도 타자를 행해 불을 밝히고 밤새 눈물 흘린다.

그러나 모든 슬픔은 한 번도 슬픔인 적이 없었음을 시적주체는 안다. 시적주체는 슬픔 안에 또 다른 진실을 본다. 이것은 모두가 하나라는 생태적 인식이다. 생태적인 마음이 세상만물에 대한 연민과 측은지심을 낳게 한다. 그 안에 시적주체도 있고 타자도 있다. 슬픔을 모르는 슬픔에게 슬픔에 슬퍼하는 슬픔에게 슬픔 안에 희망의 씨앗이 있음을 알도록 기도하고 위로하는 것이 삶임을 위 시는 말하고 있다.

견자見者 프로메테우스

김미정 시

이것은 한 여름 밤 번개를 만드는 바람의 손이며
그 손을 꽉 움켜쥔 안개, 그 마지막 눈빛을
기억하는 한 남자의 고백이다

6과 9사이 안개가 가득하다

거꾸로 매달린 빌딩 사이로 한 남자가 떠가고 있다 안개에 손목을 넣고 흔들자 빌딩의 벽과 창이 휘어진다

눈동자, 안개의 피를 수혈하는 눈동자가 다가온다

물방울이 떨어진다 그때마다 휴대폰에서 희뿌연 골목이 흘러나오고 네가 보낸 문자를 읽을 수가 없구나

손바닥을 펴서 안개 속으로 사라지는 일을 생각한다 막다른 햇살은 어디로 갔나요

빠져나가는 모래알들을 세어 봐요

빌딩을 덮은 거대한 동공이 소리친다 태양을 가린 안개가 지나, 지나갑니까

내일이 뚝뚝 끊어져 내린다 흘러내리는 표정일까 손바닥이 젖어버렸어

남자는 미끄러지는 모래알을 던져버린다
태양이 그림자를 끌고 날아간다

– 김미정, 「안개남자」, 『현대시』, 2016년 9월호.

6과 9사이처럼 가득한 안개로 메워진 세계와 아주 가까이 우리는 살고 있을지도 모른다. 자칫 손을 넣으면 빨려 들어가 안개에 갇혀 버리는 삶이거나 또는 안개 속에서 죽음을 맞이할지도 모른다. 안개 속으로 손을 넣어 볼 것인가. 애써 외면하고 지나갈 것인가. 그럴 능력과 의지가 있다면 말이다. 자크 프레베르의 「절망이 벤치 위에 앉아 있다」라는 시가 있다. 광장의 벤치 위에 어떤 사람이 앉아 지나가는 사람을 부른다. 외안경에 낡은 회색 옷을 입고 궐련을 피우고 앉아 부르는 그를 보면 안 된다. 말을 들어서도 안 된다고 다짐해보지만 어느새 꼼짝없이 그 벤치에 앉게 된다. 사람들이 지나가고 아이들이 떠들고 새들이 날아가지만 이제 그들처럼 되돌아 갈 수 없는 절망으로 벤치에 앉아 있게 된다는 내용이다. 위 시에서도 안개 속으로 사라져 영영 이전 세계에서 떠나버린 사람이 등장한다.

남자는 '거꾸로 매달린 빌딩 사이'로 떠가고 있다. 비정상적인 도시의 빌딩 숲에서 남자가 부유하고 있다. 안개를 본 남자는 지나가지 못하고 '안개에 손목을 넣'는다. 남자는 비정상적인 세계를 한번 저어보고 싶었던 것이다. 그래서 '안개에 손목을 넣고 흔들지만' 세상이 바로 되는 것이 아니라 거꾸로 매달려 있던 '빌딩의 벽과 창이 휘어'져 버린다. 안개에 손을 넣자 더 기형의 세계가 남자에게 온 것이다.

'안개의 피를 수혈하는 눈동자'까지 와서 이제 남자는 안개 가득한 불

확실하고 뿌연 세상에 있다. 잿빛 빌딩 숲 안개도시에 바람처럼 떠가는 이 안개남자는 떨어지는 물방울과 더불어 누군가와 소통하려고 하지만 '휴대폰에서 희뿌연 골목' 만 흘러나올 뿐이다. '네가 보낸 문자를 읽을 수가 없' 다고 남자는 말하지만 안개 속에 갇힌 남자는 문자를 보낼 사람은 없다. 누가 문자를 보내서가 아니라 남자는 누군가와 소통하고 싶어 문자를 받고 싶지만 안개 속일 뿐이다. 안개 속이니 무엇을 어떻게 소통해야 하는지도 모른다.

안개가 한 여름 밤 번개를 만드는 바람의 손을 꽉 움켜쥐고 있기에 삶을 번쩍 눈뜨게 할 번개가 칠 일도 없다. 바람의 손을 안개가 움켜잡고 있으니 안개를 날려 버릴 수도 없다. 이제 남자는 안개처럼 알 수 없는 세계 안에 갇혀 환하고 선명한 생으로부터 괴리되어 있다. 안개에 포위되어 있다. 그러니 남자는 안개를 벗어나는 일을 포기한다. '안개 속으로 사라지는 일을 생각' 하고 벌써부터 '빠져나가는 모래알들' 즉 죽음을 향해 흘러내리는 시간을 본다. '막다른 햇살은 어디로 갔나요' 라고 소리 질러 보지만 짙은 안개 속에서 부유하는 이 남자를 볼 수 있는 이는 아무도 없다.

이제 '빌딩을 덮은 거대한 동공' 이 '태양을 가린 안개가 지나, 지나갑니까' 라고 묻지만 '내일이 뚝뚝 끊어져 내' 려 버린다. '남자는 미끄러지는 모래알을 던져버' 린다. 안개에 흠뻑 '젖' 어버린 손으로는 이미 자의든 타의든 부조리 속에서 부유하던 삶으로도 돌아갈 수 없다고 생각하기 때문이다. 그러나 아이러니하게도 최종적으로 남자를 데리고 가는 것은 안개가 아니다. 안개는 남자가 스스로 선택하고 만든 것이었기 때문이다. '태양' 이 남자의 그림자를 끌고 날아가는 동안 안개는 다 걷혀 버릴지도 모를 일이다.

눈에 보이는 것으로부터 자유로워지고 현상으로부터 자유로워져야 한다. 모든 것은 마음으로부터 나온다는 것을 안개 속에 손을 넣고 안개 속으로 사라진 남자는 몰랐던 것이다. 바르게 본다는 것은 바르게 살 수 있는 방법을 아는 것이다. 바로 보기위해 목숨을 걸 정도로 수행을 해도 매 순간 진실을 바로 보는 것은 어렵다. 현상 세계 너머에 존재하는 순리를 볼 수 있어야 이 세계에서 생태적으로 평화롭게 살아갈 수 있는 것이다.

바로 보지 못해서 불운을 겪은 사례는 허다하다. 한 예로 소포클레스의 『오이디푸스 왕』을 들 수 있다. 스핑크스는 테베 사람들에게 공포의 대상이었다. 수수께끼를 내서 못 맞추면 죽였기 때문이다. 오이디푸스는 지혜로 수수께끼를 맞추고 테베의 왕이 된다. 괴물을 죽이고 왕이 될 정도의 지혜를 지닌 오이디푸스였지만 부모를 알아보지 못했다. 아버지를 알아보지 못하여 아버지를 죽였고 어머니를 알아보지 못해 어머니와 결혼했다. 그 결과 오이디푸스는 죄책감에 자신의 눈을 찌르고 스스로 맹인이 된다.

이렇듯 진실은 눈에 보이는 것만으로 알 수 있는 것이 아니다. 이 작품에서 아이러니한 것은 오이디푸스의 진실을 말하는 예언자가 맹인이라는 점이다. 눈을 뜬 오이디푸스가 보지 못하는 것을 맹인 예언자인 티레시아스Tiresias가 보았다. 진실을 보는 눈은 현상을 보는 외면적인 눈으로만 가능한 것이 아님을 알 수 있다.

아르튀르 랭보Arthur Rimbaud는 폴 드므니에게 보내는 편지에서 시인을 견자Voyant, 見者에 비유했다. 랭보의 의하면 시인은 모든 감각 기관에 걸친 광대무변하면서 이치에 맞는 착란에 의해 견자가 된다. 모든 독소를 찾아 자기 속에 흡수하고 정수만을 보려하며 신과 초인적인 도움이 필요할 정도의 고문에 의해 시인은 대환자, 대죄인, 위대한 저주를 받은 사람, 지고의 학자가 된다고 했다. 그렇기에 시인을 인간에게 불을 훔쳐다 준 프로메테우스에 비유하고 시인은 인류뿐만 아니라 동물까지 책임을 져야한다고 했다.

위 시에서도 말을 하고 있지만 견자가 되기는 쉽지 않다. 시적주체는 숨은 쉬지만 가장 가까이 있는 '내 비린내는 내가 맡지 못' 하고 '눈이 두 개' 지만 '온전한 두 개를 본 적이 없' 는 실정이다. '빈들에 박힌 서릿발 같' 이 '마음 속 칼날을 밟고 지나가' 며 사는 것이 시적주체의 생이다. 그러나 견자가 되기 위해 부단히 노력해야 한다. '앞서 간 견자見者의 그림자는 눈 뜨고 살기가 얼마나 어려운가를 보여준 자' 라고 인식을 할 만큼 견자로서의 삶이 힘들다 할지라도 마찬가지다. 시인은 견자로 인간과 세계를 위해 프로메테우스의 역할을 할 수 있어야 한다. 그런 경지에 이르기 위해 시인은 부단히 견見하고 관觀해야 한다.

텅 빈 행간의 불춤

손현숙 시

담장에 기대 세웠던 사닥다리에 불을 지른다 처음에는 바람을 밀면서 저를 고집하더니 삽시간에 치솟는 불길로 불춤을 춘다 한 소절이 끝나면 다음 소절로 난간도 없는 계단을 밟아 허공을 간다

오늘은 월담, 발자국은 한 칸 위가 궁금하다 불길은 막무가내 저도 모르는 것으로 몸을 벗는다 그것은 매혹이지만 잔혹한 행위, 이해할 수 없는 방식으로 저를 살라 色도 없고 가책도 없는 소리를 보여준다

한바탕 춤이 지나가고 계단을 오른 취기는 내용을 지운다 산 것도 죽은 것도 아닌 나머지로 꿈틀대는 화기火氣, 불꽃이 지나간 자리에 고여 있는 잿더미 손금으로 다독이며 길을 낸다 탈출구를 지운다 행간은 욕망도 없이 빈 채로 소란하다

                               – 손현숙, 「행간, 행간」, 『시와세계』, 2016년 가을호.

행간은 침묵의 소리들을 품고 있다. 아니, 침묵 자체가 거대한 생이요 죽음이요 우주다. 언어와 언어 사이의 행간, 제목과 내용 사이의 행간, 나무와 나무 사이의 행간, 사람과 사람 사이의 행간, 바위와 풀꽃 사이의

행간, 하늘과 땅 사이의 행간, 별과 별 사이의 행간, 그 행간 뛰어 넘을 수 있어야 소통이 된다. 하나가 된다.

행간은 하나의 단계에서 또 다른 단계로 넘어가는 사다리 역할을 한다. 때로는 행간이 징검다리, 때로는 배, 때로는 나뭇잎이 되기도 한다. 같은 행간이어도 사람에 따라 상황에 따라 각각의 삶의 이력들에 따라 다르게 읽고 건넌다. 창의적으로 읽든 모순적으로 읽든 활활 태우며 읽든 꽝꽝 얼려 스케이트를 타고 건너든 각각 주체적으로 살아야 한다. 행간은 비어 있음으로, 스스로 건너야 하는 것이므로 그렇다.

위 시에서는 태우기의 방식으로 행간을 읽는다. 처음 '사다리'는 한 칸 한 칸 행간과 행간을 활활 태우면서 지나간다. '불춤을 추'면서 스스로를 지운다. 그렇게 아래에서부터 스스로를 다 태울 무렵에는 담을 넘으며 자신의 몸을 벗는다.

이렇게 한바탕 불춤으로 자신을 버리고 난 뒤에는 다시 내용을 지운다. 새롭게 알아낸 또는 창작되었던 '내용을 지'우는 것은 '취기'다. 몰입과 열정은 상황에 취하게 하고 이제 모든 것이 비워질 무렵이다. '내용도 형체도 없이 이제 산 것도 죽은 것도 아닌 나머지로 꿈틀대는 화기火氣'만이 남아서 타올랐던 한 생을 바라본다. 시적주체는 그 잿더미를 어루만진다. '손금으로 다독이며 길을 낸다.' 잿더미가 날아가고 사라지는 것이 아니라 새로운 길을 내는 재료로 사용되는데 주목할 필요가 있다. 그것은 새로운 욕망을 가지는 것이다. 그러나 빈 마음으로 재가 된 상태의 욕망이기 때문에 사실상 텅 빈 욕망이다. 빈 채로 요란한 소리를 내며 새로운 행간이 창조된다.

당신과 나, 우리의 행간은 얼마나 멀고 얼마나 뜨거운가. 텅 비어 있나. 다양한 소리들로 차 있나. 침묵으로 있는가. 행간의 의미를 만들어 나가

는 것이 관계가 아닌가. 어떤 의미로 어떤 모습의 행간을 우리는 사랑할
것인가. 어떤 행간으로 글을 쓸 것인가. 우리의 행간에 햇살이 곱게 들고
미풍이 불어 꽃향기 만발한 그런 날도 있을 것이다.

허공虛空에서 공空으로

김점용 시

나는 유명(幽冥)의 허공에 홀로 떠 있었다
허공에 떠서 내가 누운 허공을 단단하다 믿었다
네 몸피만큼 내 것이라 믿었다
마치 깨달은 것처럼 지루한 화엄경을 꼼꼼히 읽으며
든든하고 아름다운 연화대라고 굳게 믿었다
믿을수록 허공은 단단해졌다
사람이 세상을 살아가는 데는 많은 것이 필요치 않다
자기 몸 의지할 허공만 있으면 되는 것이다
그것만 있어도 세상은 다 내 것이 된다
고 씌어 있었다
사람들이 기도하고 절하는 대상이 결국엔 다 허공인 이유도 그 때문일 것이다.
사실 그럴 필요조차 없다 세상 천지에
눈물의 마니보석이 둥둥 떠다니는데
사람들은 화엄경을 너무 대충 읽거나 이미 절판된 세포생물학 교재만 찾았다
그런 마음을 품은 찰나 오래전 눈을 맞춘 먼 곳의 중력이 내 허공을 그립고 아
득한 곳으로 천천히 끌었다
허공은 산해경 깊은 바다 부드러운 돌 속으로 고요히 떨어졌다
거기서 3만 년쯤 진화한 뒤 나의 허공은 황산의 돌부처로 깨어났다
사람들은 내 발등 위에 촛불을 켜고 절을 했다

눈물을 흘리며 기도하고 절을 했다
손만 뻗으며 바로 잡힐 곳에 눈물의 마니보석이 둥둥 떠다니는데
3만 년 전의 사람들은 아직도 두 손을 꼭 모은 채 기도하고 절을 했다

- 김점용, 「눈물의 마니보석이 둥둥」, 『시와문화』, 2017년 가을호.

인간은 오온五蘊에 갇혀 살아가기 때문에 괴로움을 겪는다. 오온에서 벗어나서 무아無我·무상無常·무자성無自性이고 공空임을 깨달았을 때 마음에 평정을 얻고 삶 또한 자비의 방식이 될 것이다. 괴로움을 극복하기 위해 바라는 바를 이루기 위해 인간은 염원하고 노력한다. 신의 능력이 있다고 믿는 대상에게 귀의하고 빈다. 그래서 종교가 존재한다. 인간은 신이 바라는 바를 이루어줄 것이라 믿고 염원한다. 인간은 무릎 꿇고 손 모으고 고개를 조아리며 신에게 기도한다. 신에 귀의하면 신의 은총이 내려 마치 현실의 고통에서 벗어나고 욕망하는 바를 이룰 수 있을 것이라 믿는 것이다.

위 시 「눈물의 마니보석이 둥둥」은 불교라는 종교 안에서 불경을 읽고 수행하며 믿었던 것이 바른 깨달음인지 질문한다. 종교는 초월적이고 절대적 진리여야 하는데 인간의 그릇된 판단으로 올바르지 못한 방법으로 종교를 받아들이거나 종교 행위를 하는 것은 아닌지 생각하게 한다.

인간은 괴로움을 지니고 있는 존재이기 때문에 '유명幽冥의 허공에 홀로 떠 있'다. 오죽하면 석가는 삶을 고해苦海라고 했겠는가. 인간은 근본적으로 외로움과 고독과 괴로움을 지니고 이 세상에 있기 때문에 유명 즉, 깊숙하고 어두운 곳에 홀로 있는 것이다. 이것은 마치 현실에 있으면서도 저승에 있는 것처럼 느끼거나 때로는 자신이 현실과 동떨어져 있다고 느끼기도 한다. 현실의 괴로움을 벗어나기 위한 방편으로 허공을 진리

로 인식하고 그 안에서 안주하려고도 한다. 그런데 그 허공은 정말 진리이고 허공은 해탈이며 행복일까.

허공은 그런 것이 아니다. 허공은 극복해야할 그 무엇이다. 시적주체는 허공이 진리라 믿고 허공에 떠서 '내가 누운 허공을 단단하다 믿'는다. 그리고 그 허공에 떠서 존재하는 '몸피만큼 내 것이라 믿'으며 '마치 깨달은 것처럼' 생각을 한다. 허공은 걸림이나 장애가 없는 상태 즉 대립이나 차별이 없는 상태이기도 하다. 그런데 허공은 정해진 인식대상이 없다. 일체가 허공임을 알면 모든 인연의 집착에서 벗어나고 무지에서 벗어나며 보이고 들리는 것에 무감각해진다. 허공은 무위법無爲法 중의 하나지만 대승불교에서 허공이 되라고는 하지 않는다. 허공은 인식 대상이 없기 때문에 무위지만 대승불교에서는 허공도 분별의식에서 나온 것으로 보고 궁극의 진리로 보지 않는다. 허공은 무와 같다. 공은 무자성이다. 무와 무자성은 다르다. 즉 현상세계는 색불이공 공불이색이다. 공이 무가 아니듯 무자성임을 아는 것이 중요한 것이지 허공은 고해를 건너기 위한 방편 역할을 할 수 있을 뿐이다.

그러니 시적주체는 진리라 믿는 허공 안에 있지만 그 곳은 진리의 자리가 아니다. 시적주체가 화엄경을 지루하게 생각하면서 '꼼꼼히 읽'는다든가 '든든하고 아름다운 연화대라고 굳게 믿'는 것도 모두 온전하게 진리에 접근하는 것이 아닌 것이다. 세상에 발을 딛고 진리는 존재한다. 시적주체는 혼자 허공에 떠서 허공을 믿으며 더 단단해지는 허공을 오만한 마음이라 하고 있다. 마치 화엄경이 '사람이 세상을 살아가는 데는 많은 것이 필요치 않'고 '자기 몸 의지할 허공만 있으면 되는 것'이라고 말하는 것처럼 말이다. 그래서 '자기 몸을 의지한 것만 있어도 세상은 다 내 것이 된다'고 믿는 것이다. 그러나 모든 것은 무자성이고 공이다. 자아라는 것은 없고 단지 모든 인연은 연기법緣起法에 의해 만나고 헤어지며 실존하는 것이다.

일반적으로 종교에서 가르치는 진리를 깨닫고 실천하기보다는 기복신앙을 가진 사람들이 많다. 시적주체는 '사람들이 기도하고 절하는 대상이 결국엔 다 허공인 이유도 그 때문'이 아닐까라고 추측한다. 그런데 그 허공은 진리가 아니다. 깨달은 자는 자기 스스로가 부처임을 안다. 진리는 멀리 있는 것이 아니라 지금 여기 이 자리에 있는 것인데 사람들은 멀리서 부처를 찾고 행복을 찾으려고 한다.

'세상 천지에' 이미 '눈물의 마니보석이 둥둥 떠다니'고 있다. '사람들은 화엄경을 너무 대충 읽거나' '이미 절판된 세포생물학 교재만 찾'는데 문제가 있는지도 모른다. 생물세포학은 세포를 모든 생명체의 가장 기본적인 구조적, 기능적 단위로 본다. 세포는 생명 그 자체의 구성단위이므로 세포의 생리적 특성, 세포의 구조, 세포 속의 세포소기관, 환경과의 상호작용, 세포 주기, 세포의 분열과 죽음과 같은 것을 연구한다. 몸을 구성하는 것을 세포로 분석하여 몸이라는 하나의 연기적 덩어리를 진실로 믿는 것도 자아의식과 연관이 될 수 있다. 그래서 시적주체는 '이미 절판된 세포생물학 교재만 찾'는 것이 진리와 거리가 있다고 생각하는 것이다.

시적주체가 믿었던 허공은 불교의 진리를 아득하게 만든다. '오래전 눈을 맞춘 먼 곳의 중력이 내 허공을 그립고 아득한 곳으로 천천히 끌'고 간다. 그 곳은 업이 저장되어 있는 아뢰야식의 자리인지도 모른다. 허공은 '산해경 깊은 바다 부드러운 돌 속으로 고요히 떨어'지는 것처럼 꿈같은 허구이다. 과거를 회상하는 이 부분은 과거의 모든 업이 현실에서 나타난 것과 같다. 전생과 전생이 겹겹이 쌓여 있는 업이라는 종자는 인식범위 너머에 있기 때문에 '그립고 아득한 곳'이거나 '산해경 깊은 바다 부드러운 돌 속' 같지는 않을까 상상해보는 것이다.

시적주체가 불러들인 업은 3만 년쯤 전이나 '3만 년쯤 진화한 뒤'에나 다를 바가 없다. 왜냐하면 진정한 깨달음이 없으면 끊임없이 윤회를 하기 때문이다. 업이 소멸하지 못하고 아뢰야식으로 저장되어 있다가 새로운 인연을 만나면 현상으로 발현되는 것이다. 이러한 인연법에 대한 깨달음이 없다면 다시 윤회하며 새로운 업을 쌓는다. 일체가 공임을 깨닫지 못하면 계속 자성이 있다고 믿고 새로운 업을 저장하게 된다.

진리는 문자로 전해지는 것도 아니고 형상으로 전해지는 것도 아니다. 3만 년 전의 허상이자 허공인 돌부처가 스스로 진리라고 말하면서 '황산의 돌부처로 깨어나' 거대한 허상인 돌부처로 현생에 있다고 해서 이 부처를 진리라고 할 수 있는가. 사람들은 그 사실을 알려고 하지도 않을 뿐더러 진리를 깨닫기보다는 맹목적으로 '발등 위에 촛불을 켜고 절을' 한다. 눈물까지 흘리며 '기도하고 절을' 한다.

'손만 뻗으면 바로 잡힐 곳에 눈물의 마니보석이 둥둥 떠다니는데' 그것을 보지도 못한다. 무명으로 덮여 있기 때문이다. '3만 년 전의 사람들은 아직도 두 손을 꼭 모은 채 기도하고 절을' 한다. 세월이 아무리 흘러도 깨닫지 못하면 인간의 어리석음과 고통은 반복된다. 모든 것은 공이다. 그리고 색이다. 색불이공 공불이색이다. 허공을 진리라 믿고 허상을 진리라 믿으며 스스로 깨닫지 못한다면 아무리 오랜 시간이 흘러도 허상의 발등에서 기도하고 절만 하게 되는 것이다.

우주의 발문
박주택 시

　허둥지둥 사는 꽃 핀 날 미친 눈길 성에 찰 리 없는 잔에 비워지는 살맛 꽃잎은 여섯시 너머 곱게 가라앉는데 할 일 없는 사람처럼 날은 저물고 항의라도 하듯 곁을 지키던 것들이 긴 침묵을 지피네 이렇게라도 수포로 돌아간 날들을 구해야하는 것을 어둠 속에서 앙다물 때 떠나는 것들이 나도 오늘 저녁을 혼자 먹었다. 언제나 타지인 거리에서 세탁물처럼 던져질 때 더 큰 감옥이 자신이라는 것을 누가 모를 것인가?

　구름을 가리키니 행복하게 자라는 아이들이 보이고 대로에는 치장한 여인들이 서있다 이것만으로도 아름다울 것이니 시린 발로 기다리던 저녁도 이제는 끝이다 사과꽃이 지고 사과꽃이 여무는 날이다

　그새 다 익은 밤은 애틋이 사는 가르침을 빨리 오는 여름에게 이렇게 말할 것이다 나의 영원은 죽었다 그리고 나는 그 죽음을 보고 있다*

　* 세사르 바예호

– 박주택, 「돌의 서문」, 『창작과 비평』, 2014년 봄호.

위 시는 존재에 대한 성찰이 담긴 시다. 내 것이 아닌 삶에 쫓기고 소외되고 외로워서 고통스럽게 살아가던 주체가 그 방황이 어디서부터 비롯되었는지를 깨닫고 세계를 바라보는 시각을 수정한다. 즉 어떻게 살아야 되는지에 대한 방향성을 찾아가는 시이다.

'허둥지둥 사는 꽃이 핀 날', 인간은 허둥지둥 사느라 허둥지둥 꽃을 피운다. 설익은 꽃을, 때로는 가짜 꽃을 피운다. 때로는 피기가 무섭게 지기도 하고, 때로는 서로 허둥지둥 피느라 잎이 다치고 꽃잎이 다치고 뿌리 채 뽑히기도 한다. 허둥지둥 꽃을 피우느라 정상적인 시선을 가지지 못한다. 그 결과 허둥지둥 꽃이 피는 날은 '미친 눈길'로 산다. 미친 눈길로 바라보는 세계가 바르게 보일 리가 없다. 세계를 바르게 보지 못하므로 바른 방향으로 가지 못하고 바르게 살아가기도 힘들다. 필 시기가 아닌데 설익어 핀 꽃은 자신이 누구인지 자신이 어떤 꽃을 피울 것인지 성찰하지 않고 어떻게 살아야하는지도 모르고 방황한다.

허둥지둥 핀 꽃이 '성에 찰리'가 있겠는가. 성에 차지도 않는 세상을 사는데 당연히 '살맛'이 없을 듯하다. 그러나 시적주체는 살맛이 없어지는 것이 아니라 비워진다고 말한다. 저절로 없어지는 것이 아니라 성에 차지 않아 스스로 비우는 것이다.

애써 성급히 꽃 피우던 마음을 비우니 꽃은 진다. 애착을 놓고 '꽃잎은 여섯시 너머 곱게 가라앉'는다. 그럼 왜 여섯시 너머인가. 잘못된 길이었음을 깨달아가는 상황이기 때문에 밤이 오기도 전 저녁에 져버린다. 아직 어둠이 엄습하기 전, 완전히 어둠에 휩싸여서 자신을 분간할 수 없는 상황 이전에 스스로 지는 것이다.

아무 일도 없이 혼자 있는 저물녘은 쓸쓸하고 외롭다. '할 일 없는 사람처럼' 날은 쓸쓸하게 저문다. 아직은 해야 할 것이 있는 저녁인데, 너무 빨리 피었기에 너무 빨리질 수밖에 없다. 그런데 그런 저녁에 '항의라도 하듯 곁을 지키던 것들이 긴 침묵을 지'핀다. 침묵이 가장 큰 언어이기 때문이다. 진리는 불립문자不立文字로 전해진다. 언어의 의미는 완벽하게 표현하고자 하는 욕망을 계속해서 미끄러지게 할 뿐이다. 따라서 침묵으로 항의를 하는 것이다.

그러나 의미 없는 삶이 어디에 있고 의미 없는 순간이 어디 있겠는가. 그래서 시적주체는 침묵의 항의로라도 해서 '수포로 돌아간 날들을 구'하고 싶은 심정이다. 시적주체는 소중하지 않은 존재란 없다는 것을 알기에 수포로 돌아간 듯하다고 인식하지만 그 속에서 의미를 찾고 싶은 것이다. 성공하거나 만족하지 못한 삶일지라도 삶을 그냥 버릴 수는 없다. 어둠이 이미 내렸다할지라도 이를 '앙다물'고라도 결코 버릴 수 없는 것이다. 시적주체는 혼자 내던져 있다는 생각을 떨쳐버리기 힘들다. 아무도 서로 위로해주지 않는다. 혼자 밥을 먹고 혼자 밤을 맞이할 수밖에 없다. 언제나 타자인 거리에서 시적주체는 '세탁물처럼 던져'진 듯한 외로움으로 불안의식을 느낀다. 그 불안으로 성급하게 꽃을 피워보지만 함께 어울려 살기를 갈구하던 마음을 포기한다.

이제 시적주체는 '더 큰 감옥이 자신이라는 것'을 깨닫는다. 외로움은 하나의 거대한 감옥이다. 그러나 그 외로운 감옥은 누군가에 의한 것이 아니다. 모든 것은 일체유심조이기 때문이다. 마음을 어떻게 가지느냐에 따라 세상이 천국도 되고 지옥도 된다. 시적주체가 세탁물처럼 혼자 버려져 있는 것이 아니라 시적주체 스스로 버려졌다고 생각하는 것이다. 시적주체는 자신이 왜 외로운지 외로움의 정체를 이미 알고 있다. 그 외로움은 자신이 스스로 만든 감옥 때문이라는 것을 말이다.

그래서 마음을 긍정적으로 바꾼다. '구름을 가리키니 행복하게 자라는 아이들이 보'인다고 시적주체는 말한다. 구름을 가리킨다는 것은 모든 것이 공空임을 깨달은 후의 행동이다. 금강경의 '일체유위법 여몽환포영 여로역여전 응작여시관一切有爲法 如夢幻泡影 如露亦如電 應作如是 觀'을 깨달은 것이다. 일체 유위법은 꿈과 같고, 환과 같고, 물거품 같고, 그림자 같고, 이슬과 같고, 번개와 같으니 마땅히 이와 같이 여기라는 것이다. 공사상을 선명하게 보여주는 이 구절이 산스크리트경에서는 그림자[影] 대신 구름[雲] · 별[星] · 눈[目] · 등불[燈火] 등 아홉 가지 이미지로 표현된다. 요컨대 위 시에서 구름을 가리킨다는 것은 결국 모든 것은 일체유심조이고 공하다는 것을 시적주체가 깨달은 상태를 말한다.

시적주체가 깨닫고 나니 '자라는 아이'가 보인다. 깨닫기 전에는 '나'라는 실체가 있는 줄 알고 아집을 가지고 있었다. 나에 집중하고 있던 자아가 무아를 깨닫고 일체가 공함을 깨닫고 난 후에는 타자가 보이고 약자가 보이고 보살펴야할 존재가 보이고 희망이 보인다. 너와 나는 둘이 아니라 하나라는 불이사상不二思想이 드러나는 지점이다. 아이들은 미래다. 마음이 고요해진 시적주체는 대로에 '치장한 여인들이 서있'는 것도 보게 되고 응작여시관應作如是觀, 즉 마땅히 있는 그대로를 보고 있는 그대로 받아들이게 되니 삶이 '아름다운' 것이다. '발이 시리다'고 항의할 필요도 없다. 완벽하고 만족스러운 저녁이기 때문에 시린 발을 구르며 집착하고 기다릴 필요도 없다. 그냥 '사과꽃이 지고 사과꽃이 여무는' 그런 여여如如한 날로 받아들이면 그만인 것이다.

그렇게 깨닫고 나니 밥은 다 익었다. 다 익은 밥은 누군가의 고픈 배를 채워 주리라. 그렇게 소신공양하는 마음도 불이의 마음이다. 자기의 몸과 타자의 몸은 하나다. 스스로의 몸은 사라지더라도 다른 사람의 몸으로 사는 것이다. 그것은 '애틋'한 가르침이다. 애틋하다는 것은 섭섭하고 안타까워 애가 타는 듯한 것이기도 하고, 정답고 알뜰한 맛이기도 한 것이다. '애틋' 한 가르침이 삶이자 죽음의 의미인지도 모른다.

봄꽃이 지면 곧 여름이 온다. 그렇게 사계절이 순리대로 흐르는 것이 자연의 이치다. 여름은 왕성한 생명력으로 많은 것들을 만들어 내지만 결국은 가을이 오고 겨울이 온다. 영원히 살 줄 알고 안달하고 외로워하던 시적주체가 이제는 죽음까지 받아들일 수 있는 마음을 가진다. 『금강경 金剛經』「장엄정토분莊嚴淨土分」 제5절에서는 '눈으로 보는 것[色], 귀로 듣는 것[聲], 코로 맡는 것[香], 혀로 맛보는 것[味], 몸으로 느끼는 것[觸], 마음으로 생각하는 것[法], 이들 모두에 집착하는 마음을 일으키지 말아야 한다.' 라고 말한다. 영원한 것이 없다는 것이 진리다. '응모소주이생기심應無所住 而生其心' 즉 집착을 하지 말고 머무는 바 없이 마음을 내라는 것이다.

'나의 영원은 죽었다 그리고 나는 그 죽음을 보고 있다' 라는 시구는 세사르 바예호의 시 「시간의 횡포」에서 인용한 것이다. '모두가 죽었다' 로 시작하는 이 시는 시간의 횡포로 제일 싼 빵을 만들고 늘 목이 쉬어 있던 안또니아 아줌마, 인사를 주고받는 것을 좋아하던 싼띠에고 신부님, 금발 아가씨, 아이와 아이 엄마, 전래동요와 풍습과 세월을 노래하던 알비나도 하녀 이사도라를 위해 바느질 하다가 죽는다. 아침햇살을 받으며 졸곤 하던 외눈박이 노인도, 큰개 라요도 총에 맞아 죽는다. 허리 가득 평화를 안고 다니던 삼촌도 죽고, 내 권총 속에서 어머니가 죽고, 내 주머니 속에서 누이가 죽고 피투성이 허벅지 속에서 동생도 죽는다. 슬픔이 슬픈 핏줄로 이어진 세 사람이 말이다. 악사도 닭도 죽었다. 시적주체가 알고 있던 대부분의 사람들이 죽었다. 자신도 죽을 것이므로 '영원은 죽' 고 '나는 그 죽음을 보고 있다' 라고 말한다. 삶의 입장만 놓고 보자면 시간은 내 소중한 것들을 앗아가며 횡포를 휘두른다.

그러나 삶과 죽음이 결국 하나라는 사유 즉 불이사상에 도달하면 죽음마저 받아들이게 된다. 자연의 이치에 순응하게 되는 것이다. 죽음의 방식이 문제이긴 하지만 세사르 바예호의 시보다 박주택시가 삶의 연결고리와 순환의 자연현상을 수용하는 입장에서 더 높이 도달하였다. 한 단계 더 높은 이 삶의 철학이 생태적 사유이다.

위 시 제목은 '돌의 서약'이다. 처음 돌이 바위산이었을 때 돌은 아주 커다란 바위산의 마음으로 자만했을지도 모른다. 바위산은 세상에서 본인이 가장 크고 단단하다고 여겨 자만하면서 수많은 욕망을 가졌다. 그러나 바위가 깨지고 돌이 되었다. 돌이 되자 돌은 외로움을 느낀다. 자신의 몸이라 생각했던 바위산이 결국은 부서지고 돌로 순응하며 흘러갈 수밖에 없다는 것을 인정해야했기 때문이다.

시적주체는 우주의 이치를 깨닫는다. 바위의 마음을 다 깨어버리고 가루가 되고 가루마저 흔적도 없이 사라지니 무아임을 깨닫는 단계에 이른 것이다. 그 텅 빔에서 또다시 생태적으로 연기를 하며 먼지가 생겨나고 흙이 되고 모래가 되고 자갈이 되고 돌이 되고 바위가 될 터이다. 그러므로 돌이란 존재는 아무 것도 아니면서 대우주이다. 이러한 측면에서 돌의 서약은 곧 우주의 서문이자 우주의 발문인 것이다.

우주의 공손한 손길

허형만 시

나뭇잎 하나도 화들짝 놀라지 않도록
풀잎마다의 이슬도 뒤채지 않게
조심조심 숲 오르다

새벽엔 얼마만큼 숨소리를 죽여야 하는지
얼마만큼 몸을 낮추어야 하는지
나보다 더 잘 안다는 듯
길눈 밝은 바람 앞서가는 길 따르다

숲의 신성함으로
이마에 와 닿는 서늘한 우주의 손길을
서서히 눈치 채며 내가 배운 것은
세상을 살아가면서
그렇게 공손해야한다는 것이다.

– 허형만, 「새벽을 오르며」, 『첫차』, 2005년.

허형만의 「새벽을 오르며」는 우주와 자연으로부터 인간의 도리와 이치를 깨닫는 시이다. 숲의 신성함으로 우주의 손길이 시적주체의 내부로 들어와서 시적주체가 깨달음에 이르게 된다. 깨달음을 얻은 후 다시 시적주체는 우주만물을 사랑하는 마음으로 나아가 우주와 하나가 되는 구조이다. 이 구조의 핵심에 자아와 우주가 하나임을 제시하는 시인의 생태학적 관조의 눈이 있다. 깨닫고 행하는 과정은 이성이 아닌 순리적 감각에 가깝다.

자연을 타자의 자리에 놓고 무분별하게 이용하는 인간에게는 공손함을 찾아보기는 힘들다. 지배하는 이성은 우주의 이치를 거스르며 무섭게 질주하는데 그것은 파괴와 죽음으로 질주해 가는 것이다. 우주의 이치를 순리대로 받아들일 때 우주는 인간에게 신성함으로 다가오고 인간도 신성해지는 것이다.

자연과 하나가 된다는 것은 자아가 자연에게 포섭되거나 자연이 자아에게 포섭되는 것이 아니다. 세속적인 계산이 없는 상태, 자아와 자연이 하나가 되어 텅 빈 공空의 상태가 되어야 만이 유한을 초월한 영원의 세계로 가는 것이다. 영원의 세계는 현상계 인식, 공을 깨달음, 현상계와 공을 초월하여 아우른 상태의 순서로 깨달음에 이르게 된다. 이는 위 시에서 화자가 깨닫고 행하는 과정과 다르지 않다. 현상을 보고 바람의 길을 따라 가고 우주의 손길을 통해 깨닫고, 모든 것을 초월한 경지 즉 함께 더불어 사는 삶에 이르게 되는 것이다.

인간 존재의 실상은 자아의 틀에서 인간의 삶을 들여다보는 것보다는 자연 즉 우주와의 교감을 통해서 더 깊은 깨달음을 얻는다. 자타불이自他不二의 사상이나 생태주의적 세계관과 같은 맥락이다. 허형만의 「새벽을 오르며」에서는 인간과 자연이 서로를 배려하고 공손히 머리 숙여 껴안는다. 그 결과 자연과 인간이 우주적 공동체임을 깨닫게 한다. 우주의 모든 생물과 무생물은 모두 한 생명이다. 자아가 곧 타자이고 자아가 곧 우주인 것이다. 현상적인 자아는 인연에 의해 생겨났다가 사라지는 것이므로 인간이라는 현상적인 자아에 대한 집착에서 벗어나야 한다. 요컨대 나라는 것은 본시 없음을 깨달아 우주만물이 하나임을 아는 것이다. 대상과 자아를 분별하지 않는 것은 자유로 향하는 길이며 우주적 하모니를 아름답게 연주하는 방법이다.

　위 시 1연은 생명에 대한 경외감을 지닌 시적주체의 태도를 볼 수 있다. 아직 해가 뜨지 않는 새벽 시적주체는 산을 오르고 있다. 새벽은 해 뜨기 전이기 때문에 아직은 어스름이 남아 있을 것이고 아직은 고요할 것이다. 새벽의 고요 속에서 우주적 신비감을 담고 있는 산을 오르는 화자는 나뭇잎 하나도 놀라지 않게 조심을 하고 무생물이 이슬도 뒤채지 않도록 조심해서 오른다.

　'나뭇잎 하나도 화들짝 놀라지 않도록/풀잎마다의 이슬도 뒤채지 않게/조심조심 숲 오르'는 시적 자아는 자이나교의 승려들을 연상시킨다. 자이나교는 먼지를 비롯한 모든 사물에는 생명이 있고 영혼도 있다고 본다. 따라서 모든 존재의 생명을 소중히 여기기 때문에 길을 지나다닐 때에도 혹시 벌레를 밟아 죽이지 않도록 빗자루로 쓸면서 다닌다. 이처럼 위 시의 시적주체 또한 범우주적 세계관을 가지고 있다. 생물뿐만 아니라 무생물까지도 하나의 생명으로 보고 소중히 여기고 조심하는 것이다.

　시적주체는 자연에 대해 조심함을 넘어서 자연의 흐름을 감지하고 순리를 따라간다. 즉 바람이 흐르는 길을 따르는 것이다. 여기에서 시적주체가 따르는 바람은 무작정 불어대는 바람이 아니다. '길눈 밝은 바람'이다. 어디로 가야하는 지를 아는 우주의 이치를 깨달은 어떤 것, 어떻게 대상을 사랑하며 순간을 지나가야하는지를 아는 어떤 것이다. 시적주체는 그 바람에게 겸손한 마음으로 '새벽엔 얼마만큼 숨소리를 죽여야 하는지'와 '얼마만큼 몸을 낮추어야하는지'를 배우는 것이다. 그러나 그 바람은 시적주체 자신에 다름 아니다. 모든 것은 스스로의 마음이 보는 대로 인식하는 것이기 때문이다. 불교 유식唯識에서는 세상의 모든 것은 자신의 거울과 같다고 한다. 시적주체는 자타불이自他不二의 마음을 지니고 있기 때문에 순리대로 흐르는 바람처럼 간다.

모든 사물들이 순리대로 서로를 존중하며 여는 새벽의 숲은 신성하다. 맑고 순결하다. 시적주체는 서늘한 우주의 손길을 느끼게 되는데 그것은 '눈치'를 통해서다. 눈치는 상황을 미루어서 육감적으로 아는 것이다. 깨달음을 주는 것도 이성의 잉여물이 아닌 우주의 '서늘한 손길'이다. 우주의 손이 이마에 닿는 것으로 화자는 세상을 어떻게 살아야 하는지를 깨닫는다. 이마는 세속의 무엇인가에 의해 열띤 상태였을 것이고, 거대하나 공손한 우주의 손길은 서늘함으로 와서 열띤 이마를 식혀준다. 이마는 얼굴이면서 머리에도 속한다. 세월의 흔적을 느낄 수 있는 곳, 인간의 열띤 이성을 우주는 공손하고 서늘한 손길로 식혀주면서 우주의 원리를 깨닫게 하는 것이다. 나뭇잎 하나, 이슬 한 방울을 소중히 여기는 그 마음은 우주의 마음이다. 나뭇잎 하나, 이슬 한 방울 모두가 하나의 우주인 것이다.

제목 '새벽을 오르며'에서 오른다는 상승의 이미지는 우주와 하나가 되려는 화자의 의지표현으로 보아도 무방하다. 고대 아카드에는 우주가 무한한 바다로부터 계단처럼 층층이 솟아올라있는 산의 형상이라고 보았다. 깨달음 이후 화자가 오르는 신성한 새벽의 숲은 주체와 대상과의 관계가 동등한 범우주적이고 생태학적 세계에 다름 아니다. 화자는 이미 거대하고 공손한 우주를 오르고 있는 것이다. 그렇다면 왜 새벽인가. 새벽 후에 밝은 아침이 오기 때문이다. 새로운 삶이 시작되기 때문이다. 천상의 영적 에너지가 땅으로 내려오기 시작하는 시간, 밝은 우주의 아침이 공손하게 우리의 이마를 쓰다듬으면 우리는 오늘 누구의 이마를 공손히 쓰다듬을 것인가.

난감한 세상에서 무정설법을 통한 상선약수의 삶

윤용선 시

1

세상 소음에만 귀를 기울이면 인간은 거대한 소음을 견디지 못하고 삶을 정상적으로 영위하기 힘들 것이다. 매일 들려오는 세상 소음은 난감하거나 당혹스러움을 넘어 인간 존재에 대한 환멸을 느끼게도 한다. 그럼에도 불구하고 인간에게는 희망이라는 것이 남아있기에 인간은 살아가게 되는 것인지도 모른다. 그런 의미에서 윤용선 시는 판도라의 항아리에 들어있는 희망을 연상케 한다. 세상에서 일어나는 수많은 일들이 난감하지만 희망을 기억하고 세상을 살자는 메시지가 내포되어 있는 것이다.

그렇다면 윤용선 시에 내포되어 있는 희망은 어떤 방식으로 수용되고 있는가. 그것은 거울을 통한 성찰과 무정설법을 통해 각성한 인간이 상선약수처럼 살아가는 것으로 귀결된다. 인간 개개인은 거대한 세계에 떠다니는 먼지 티끌같이 작은 존재지만 각 존재는 완전한 우주이며 그 의미만으로도 삶은 살만한 가치가 있다. 더군다나 인간은 선을 추구하는 본성이 있지 않은가. 인간을 난감하게 하는 것이 인간이라며 그 난감함을 극복하고 인간다운 새로운 세계를 만들 수 있는 것도 인간이기에 인간은 끊임없이 스스로를 성찰하고 밝은 미래를 전망하며 나아가야 한다.

2

현대사회는 매스미디어의 발달로 신문 텔레비전 등이 삶 깊숙이 들어와 있다. 현대인들은 메스미디어에 노출된 채 거대한 소음의 굴레 속에서 생활한다. 뿐만 아니라 굴레를 스스로 뒤집어 쓴 채 사는 경향도 있다. 굴레를 쓰고서라도 세상 돌아가는 정보를 알고자 하는 것이다. 세상일들을 알지 못하면 미개하거나 마치 도태되는 듯한 느낌을 받기도 한다. 요컨대 현대인으로 살아남기 위한 필요악처럼 아침에 눈을 뜨자마자 뉴스를 듣고 세상 소식에 귀를 기울이는 사람들이 많은 것이다. 그러나 이들이 접하는 소식의 많은 부분은 소음에 가깝다.

아침부터 텔레비전 소음 속으로 빠진다.
삐꺽거리는 모습이 시끄럽고 까칠하다.
한땐 흉한 세상을
눈 감으면 코 베어가는 세상이라고들 그랬는데
이젠 멀쩡한 두 눈 팍팍 찌르고
허벅지 살도 냉큼 베어가는 세태가 되었다.

- 「세상 참 난감하다」 중에서

시적주체가 아침부터 텔레비전 소음 속으로 빠지는 것은 세상을 똑바로 보고 싶기 때문이다. 인간이 가지게 되는 고통에서 벗어나는 길은 자신 앞에 놓인 현실을 있는 그대로 바로 보는 것에서부터 시작한다. 시적 주체가 아침부터 본 세계는 사건과 사고와 폭력 등이 소음으로 다가오는 세계다. 거친 세상의 거친 길은 마치 '삐꺽거리는 모습'처럼 불안정하다. 즉 시각적으로는 '삐걱거리는 모습'이고, 청각적으로는 '시끄럽고' 촉각적으로는 '까칠하다.' 시적주체는 부정적인 여러 감각으로 세상의 부조리를 감지한다.

흉한 세상이 한 때는 '눈 감으면 코 베어가는 세상이라고들 그랬'다. 그런데 요즈음은 할 발 더 나아가 '멀쩡한 두 눈 팍팍' 찔러 앞을 바로 보지도 못하게 시각 기능을 마비시켜 버린다. 시각기능은 인간의 감각기간 중 인간의 삶에 가장 큰 영향을 주는 지각 능력이다. 불교 유식학에서도 인간의 감각기관 중 제일 먼저 시각이 나온다. 인간의 시각을 마비시킴으로 판단할 수 있는 능력을 잃게 하여 마음대로 인간을 조종하려고 하는 것이 현대사회가 지닌 거대한 폭력성이다. 여러 부정적 이미지들의 난립 속에서 타자를 소유하고자 하는 그릇된 욕망들이 폭력적으로 타자의 감각기능을 마비시키고 타자가 소유하고 있는 것을 탈취해 가는 세상이다.

뿐만 아니라 '허벅지 살도 냉큼 베어가는 세태가 되었다'고 시적주체는 말한다. 고사나 전설 등에 허벅지 살을 베는 이야기가 더러 있다. 주로 끼니조차 거의 없는 가난한 집에 중병이 들어 죽어가는 가족이 있고 그 가족을 살려내기 위해 가족 누군가가 허벅지 살을 베어 가족을 먹여 살린다는 내용이다. 평소에는 옷을 입어 가리고 있는 허벅지 살이 이 시에서는 스스로를 희생을 하여 타자를 살리는 마음으로 상징된다. 그런데 현대사회는 자신의 욕망을 채우기 위해 옷으로 가리고 있는 타인의 '허벅지 살'을 허락도 없이 '냉큼' 폭력적으로 베어감으로써 상대방을 희생시킨다. 얼마나 무서운 세상인가.

시적주체는 그 부당함에 휘말리며 살면 안 된다고, 절대 폭력에 희생을 당하면 안 된다고 말한다. 희생을 당하지 않겠노라고 되씹는 사람들이 있지만 결국 옳고 그름에 대한 판단력이 있는 '알 만한 사람들'마저 '그저 살겠다고, 살아남겠다고' 또 다른 덫에 걸려 폭력에 당하고 만다. 시적주체는 이 사실에 대한 안타까움을 '박쥐처럼 거꾸로 매달리는 모습'으로 표현했다. 어두운 동굴 속에서 거꾸로 매달려 있는 박쥐는 인간의 삶과는 사뭇 다르다. 박쥐는 박쥐만의 생태적 삶이 있겠으나 인간은 박쥐가 아니다. 밝은 태양 아래 인간이 인간다운 의지로 인간답게 행동하며 살아갈 때 진정한 인간이다. 시적주체는 거대하고 폭력적인 괴물이 되어 버린 현상 앞에서 '속절없이 바라보고 있어야' 하는 것에 안타까움을 느낀다. 그 안타까움은 마치 '무슨 비린내 같아 영 개운' 하지 않다.

시적주체는 폭력적인 상황을 바로 바라보고 그 해결책을 제시한다. 즉, '날 선 생각 하나를 바꾸면 어떨까' 라는 생각을 하게 된다. '어차피 세월이라는 한배를 타고 가는 거'라면 서로가 '괜한 욕심 조금만 내려놓'자고 제안한다. 욕심을 조금이라도 내려놓으면 '마음의 눈은 착해'지게 되고 '보이는 것이 그대로 다가 아니란 것을 얼마쯤 헤아리게 되지 않을까 싶은' 것이다.

이것을 확대하면 시적주체는 현대사회의 소음에 대한 해결책으로 불가의 공空 사상과 화엄사상을 제시한다. 세상사가 공이기에 다른 사람의 눈을 찌르거나 허벅지를 베어갈 필요가 없는 것이다. 더구나 모두 한 배를 탔지 않은가. 인드라망 그물에 모든 만물이 연결되어 서로를 비추며 조화를 이루고 살아가듯 하나의 배를 타고 같이 노를 저어 나아가야 하는 것이다. 한 배 안에서 서로의 눈을 찌르고 살을 베어가면 배는 어떻게 되겠는가. 어디로 가야할지 방향성을 잃고 결국 침몰할 것이다.

시적주체의 바람에도 불구하고 '세상이 딱히 그렇'게 쉽게 움직이지는 않는다. 시적주체는 이런 삶을 '빡빡' 하거나 '쓸쓸하고 깔깔하' 게 느낀다. 난감한 세상을 바꾸는 방법을 제안하고 실천 방법을 '생각하고 생각' 하여 제시하지만 거대한 세상 소음을 하루아침에 바꾼다는 것은 '난감하고 난감' 한 일이다.

3

그렇다면 시적주체는 완벽하게 해탈에 이른 존재인가. 시적주체 또한 끊임없이 고뇌하고 갈등하는 존재다. 깨달음에 이르렀다고 할지라도 끊임없이 수행을 하지 않으면 습에 의해 다시 깨닫기 이전으로 돌아가서 말하고 행동하기 때문이다. 그래서 시적주체는 거울 앞에서 자신을 성찰한다.

거기, 나를 바라보고 있는 나여,
참고, 또 참았다고
이제 더는 안 되겠다고
시퍼렇게 날이나 세우고 있다니
여전히 천방지축 이구나.
어딘가 은밀하게 웅크리고 있을
그러나 끊임없이 들끓고 있을
그게 무언지 적확히 모르면서도
거기 목을 매다니
참으로 미혹하고, 미혹하구나
작게라도 날을 세우다 보면
그 끝판이 얼마나 부질없는 일이고,

어디 목을 매고 끌려다니는 것은
또 얼마나 황당한 노릇인지
그만큼 겪어보고도, 당해보고도
여태 세상 물정 하나 모르다니
언제쯤에나 철들어
다 늦은 후회 따위 않게 될까?
바람 험한 날에도 굳건할까?
거기, 미혹하고 천방지축인 나여,

- 「거울 앞에서」 전문

현대인들은 수많은 관계 속에서 복잡하게 얽혀 있다. 어느 한 부분을 정리하고 싶어도 여러 관계가 복합적으로 얼기설기 얽혀 있어 쉽게 벗어나기가 어렵다. 이익 관계가 얽혀 있는 경우도 많기 때문에 본인이 진정으로 원하지 않는 일도 내려놓지 못하고 그 일에 질질 끌려 다니면서 고뇌하기도 한다.

위 시의 시적주체 또한 마찬가지로 지혜롭지 못한 삶을 살 때가 있음을 고백한다. '어딘가 은밀하게 웅크리고 있'으면서 시적주체를 유혹하는 무엇인가를 뿌리치지 못하고 끌려 다닌다. 또는 알 수 없는 무엇인가가 '끊임없이 들끓고 있'으면서 시적주체를 옭아맨다. 시적주체는 '그게 무언지 적확히 모르면서' 따라가고 무엇인지도 정확히 모르면서 '거기 목을 매'기도 한다.

그러나 시적주체는 완전히 그 속에 매몰되지는 않는다. 왜냐하면 '작게라도 날을 세우'고 따라가다 보면 어느새 '그 끝판이 얼마나 부질없는 일'임을 이미 경험을 했기 때문이다. 허깨비 같은 무엇인가에 '목을 매고 끌려다니는 것'이 얼마나 '황당한 노릇'인지 알기 때문이다. 그래서 참으로 '미혹하고, 미혹하구나' 라고 탄식한다. 시적주체는 '언제쯤에나 철들어/다 늦은 후회 따위 않게 될까?' 라고 수행의 끝을 기다린다. 완전히 해탈하여 '바람 험한 날에도 굳건' 할 그런 날을 시적주체는 간절히 바라고 있는 것이다. 요컨대 위 시는 방하착放下着을 끊임없이 수행하는 수행자의 고뇌가 담겨 있다.

이제까지는 뭣도 모르면서
부드러운 걸 단지 약해 빠진 거라고 알았다.
자라며 점점 딱딱해지는 나무껍질처럼
얼마쯤은 뻣뻣해야 강한 건 줄 알았다.
심줄처럼 질기게 버텨야 되는 줄 알았다.
그러다가 어인 까닭인지도 모르고
깜빡 쓰러지면서 크게 목뼈를 다쳤다.
그때 눌린 신경이
온몸의 살을 돌덩이처럼 굳게 해서
한동안 옴싹달싹 할 수 없었다.
그제야 겨우 짚이는 게 있었다.
세상도 딱딱해지는 살이 아니라
부드러움으로 가득 차서
부드러움이 부드러움을 넘게 되었을 때
비로소 바다처럼 거대하게 일어서는 건 아닐까?
일찍이 노자가 훌륭한 덕은 물과 같다고 했던
그 말의 뜻을 겨우 새겨들을 수 있었다

– 「딱딱해지는 살」 전문

시적주체는 어떤 삶이 옳은가를 딱딱함과 부드러움으로 풀어나간다. 시적주체는 자신의 몸이 딱딱하게 굳었던 경험을 통해 부드럽게 살아가는 것의 중요성을 깨닫는다. 사람과의 관계 속에서 딱딱함은 권위 또는 권력으로 해석될 수 있다. 딱딱함은 마치 권위의 갑옷으로 무장한 장군이 권위의 갑옷이 자신을 보호하며 상대를 제압할 수 있는 무기라고 착각하는 것과 같다. 너무 뻣뻣한 것은 오히려 부드러운 것보다 부러지기 십상이다. 세찬 바람은 행인이 옷을 더욱 여미게 만들고 오히려 뜨겁게 쬐어주는 태양이 행인의 옷을 벗게 만든다. 순리와 유연성은 모든 관계들을 원활하게 하고 세상을 별다른 걸림 없이 살아가게 하는 윤활유인 것이다.

딱딱하게 굳은 몸이 자신을 유연하게 움직이지 못하게 한 경험은 시적주체에게 세상을 사는 방식에 대한 깨달음에 이르게 한다. 또한 노자 『도덕경』에서 도를 도라 하면 이미 도가 아니라고 했듯 부드러움도 부드러움만으로 삶의 진리를 다 표현해낼 수 없다. 단순히 부드러움만이 아닌 '부드러움이 부드러움을 넘어섰을 때' '비로소 바다처럼 거대하게 일어서는' 것이다. 이러한 시적주체의 철학은 '노자가 훌륭한 덕은 물과 같다고 했던' 것과 같은 맥락이다.

4

어째 그러는지 모르겠다.
누군 꽃이 먼저고, 잎은 나중이란다.
누군 꽃과 잎은 응당 함께인데
말이 될 법이나 한 일이냐고 펄쩍 뛴다.
어떤가 싶어 따라가 보지만
이번에는 꽃이 분홍이냐, 연분홍이냐,
잎이 길쭉하냐, 조금 둥구냐를 앞에 놓고
서로 그게 아니면 안 된단다.

절대로 안 된단다.

… 중략 …

이 봄에도 진달래 철쭉은
세상일 고만고만하기가 다 거기서 거기라며
서로 앞서거니 뒤서거니 피었다 지는데
이산 저산 가리지 않고 자릴 지키는데
왜들 그러는지 모르겠다.

-「진달래 철쭉은 피고 지는데」 부분

그래서 시적주체는 '어째 그러는지 모르겠다'며 답답해한다. 사람들은 분별심을 내어 분쟁을 일으킨다. 무아無我임을 알고 무상無常임을 알면 자신의 생각만이 맞다고 주장할 필요도 없다. 자신의 생각이 옳다고 믿고 자신의 주장이 다른 사람의 주장에 이겨야 한다고 생각하기에 꽃이 먼저 피고 잎은 나중에 핀다고 주장하기도 하고 '꽃과 잎은 응당 함께인데/말이 될 법이나 한 일이냐고 펄쩍' 뛰기도 하는 것이다.

그런데 이 문제가 해결되더라도 사람들은 '꽃이 분홍이냐, 연분홍이냐'로 경쟁하고 '잎이 길쭉하냐, 조금 둥구냐를' 등 또 다른 논쟁거리로 상대를 제압하고 누르려고 한다. 자아가 있다고 믿고 '그게 아니면 안 된'다고 '절대로 안 된단다'고 주장하며 자아가 아는 것이 진리임을 증명하려고 한다. 그래서 소유욕과 더불어 인간들의 투쟁은 반복되고 전쟁도 반복된다.

시적주체는 인간에게 무위자연을 통해 메시지를 전한다. 서로가 옳다고 자신의 눈앞만 바라보는 인간에게 '저기, 저길 봐라'라며 순리대로 흐르는 자연을 바라보게 한다. 해마다 봄 여름 가을 겨울 사계절은 흐르고 봄마다 '진달래 철쭉'은 피고 진다. 인간들이 자아의 잣대로 분별하고 재단하는 것을 보고 '세상일 고만고만하기가 다 거기서 거기라'고 진달래와 철쭉이 일러 준다. '서로 앞서거니 뒤서거니 피었다 지'는 것에 연연해하지 않고 '이산 저산 가리지 않고 자릴 지키며' 한 생 피고 지는 것이다. 시적주체는 자연이 인간에게 들려주는 무정설법無情說法을 통해 인간이 생태적 순리를 깨닫기를 바라는 것이다. 시적주체는 무상과 무아를 깨닫지 못하고 다투고 갈등하는 인간을 안타깝게 여긴다. 그래서 자연은 어우러져 잘 흘러가는데 '인간만은 왜들 그러는지 모르겠다'고 탄식하는 것이다.

무정설법에 의한 깨달음을 제시하는 것은 「이른 봄 꽃다지」에서도 나타난다. 이 시에는 무아나 상선약수上善若水의 철학이 드러난다. 또한 모든 존재가 하나의 완전한 우주이고 존중받아야할 고귀한 존재임도 보여준다.

누가 지나치다 힐끗 보고는
같잖은 두해살이 풀이로군 하는 일이 있더라도
내겐 질긴 뿌리에, 곧은 줄기하며 거기 붙인 잎과
노랗게 피운 꽃까지 있어야 할 건 다 있으니
꼭 나를 보기로 한다면
그저 있는 대로 보기나 할 일이지
다른 말은 말란다.
그러니까 곧 삭아 스러질 네까짓게
더는 뭘 어쩌겠다고 뻗대느냐며
시비 걸 생각 조금도 말고,
해가 바뀌어 다시 봄이 오면
그때는 또 어쩔거냐고

괜한 걱정 만들어서 하지도 말란다.
대대로 예비한 씨가 있으니
그때도 여전하고, 반듯할 거란다.
이른 봄 꽃다지가
시방 찬 바람맞으면서도
야무지게 할 말 다 하고 있다.
양지쪽 밭두렁에 쪼그리고 앉아서

- 「이른 봄 꽃다지」 전문

인간의 분별심은 자아가 있다고 믿는 것에서 출발한다. 따라서 타자가 어떤 권력을 가지고 있는 존재인가 얼마나 많은 권력을 가지고 있는 존재인가와 더불어 타자가 어떤 것을 자아에게 줄 수 있느냐로 가치판단을 한다. 더구나 자본주의 사회에서는 얼마나 많은 돈을 가지고 있느냐 따라 분별심을 내고 얼마나 좋은 집에 살고 얼마나 좋은 차를 타고 다니며 얼마나 미인인가 등 겉모습으로 존재 가치를 분별하는 경향이 있다. 위 시 「이른 봄 꽃다지」에서는 그런 현대사회를 비판하고 있다.

위 시에서 꽃다지라는 작은 풀꽃은 현대사회의 특성에 비추어 마치 인간이 가진 것 없고 보잘 것 없는 인간을 무시하는 것처럼 무시를 당한다. 외형적으로 봤을 때 가진 것 없고 빈약해 보이면 인간은 변계소집遍計所執하여 '지나치다 힐끗' 보고는 관심을 가지지 않는다. 위 시처럼 '같잖은 두해살이 풀이로군' 이라며 무시하고 지나가 버리는 것이다. 뿐만 아니라 사람들은 다른 사람의 처지를 걱정하는 척 하면서 무시하기도 한다.

작고 여린 꽃다지는 그런 사람들에게 무정설법을 한다. '질긴 뿌리' 가 있고, '곧은 줄기하며 거기 붙인 잎과/노랗게 피운 꽃까지 있어야 할 건 다 있으니' 있는 그대로의 꽃다지를 하나의 완전한 우주로 보라는 것이다. 작든 크든 노랗든 빨갛든 그것은 각 존재가 가지고 있는 고귀한 특성일 뿐이다. 현대사회처럼 자본주의와 외모지상주의 논리에 맞춰 존재가치를 분별하지 말라는 것이다. 시적주체는 '꼭 나를 보기로 한다면/그저 있는 대로 보기나 할 일이지/다른 말은 말'이라며 꽃다지가 하고 있는 무정설법을 전한다.

꽃다지는 측은지심의 마음도 내지 말고 물처럼 흘러가라고도 설법한다. 봄이 가면 질 것이면서 '뭘 어쩌겠다고 뻗대'냐며 '시비 걸 생각'은 하지 말 것을 권한다. '해가 바뀌어 다시 봄이 오면/그때는 또 어쩔거냐고/괜한 걱정 만들어서 하지도 말'이라고 한다. 그런 마음을 내는 것도 분별하는 마음일 뿐 꽃다지는 그 자체로 순리대로 흐른다. 분별하는 것은 어리석은 인간이다.

어디 그뿐인가. 작고 여린 꽃다지이지만 '대대로 예비한 씨가 있으니/그때도 여전하고, 반듯'하게 꽃다지는 피고 질 것이다. 시적주체는 꽃다지의 이러한 무정설법이 '이른 봄 꽃다지가/시방 찬 바람맞으면서도/야무지게 할 말 다 하고 있'다로 표현하고 있다. 무정설법을 하는 꽃다지가 앉은 자리는 환하기에 '양지쪽 밭두렁' 또한 환하며 분별없이 서로를 존중하는 생태적 세상 또한 환할 것이다.

제4부

**현실의식과
생태의식**

월북문학가의 행로와 우리문학의 생태적 진로
- 정지용 백석 박태원 임화 이태준을 중심으로

1. 점멸

한국 근대화는 일제강점기라는 불구적 상황 속에서 진행되었다. 근대 문학사 또한 정치 사회적인 역사와 맞물려 불구적 상황 속에서 전개될 수밖에 없었다. 그럼에도 불구하고 한국 근대 문학사는 제국주의 문화와 문학을 비판적면서도 창의적으로 받아들었다. 순식간에 밀물처럼 몰려오는 서구의 다층적 문화와 문학 양식을 한국 문학가는 한국적인 정서를 지키려는 바탕 위에서 새로운 문학 세계를 펼쳤다.

일제강점기라는 폭력적 상황 속에서 전개되는 불온전한 역사로 인해 문학가들은 인간이란 무엇인가의 문제부터 한민족의 정체성 문제, 어떻게 살 것인가의 문제, 부당한 현실적 상황을 어떻게 바꾸어 나가야 하는지 고민하며 과연 문학가는 역사 현실 속에서 무엇이어야 하는지 모색했다. 이런 성찰의 시간은 막막한 현실을 뛰어넘어 희망적인 미래를 전망하게 했다. 문학이 위대한 점은 이 지점에 있는지도 모른다. 문학가가 위대한 것은 어려운 정치적 사회적 상황들 속에서 공동체를 위해 문학인들이 어떤 자세를 취하고 어떤 글을 쓸 것이냐를 고민하고 실천하기 때문이다. 희망적인 미래를 전망하고 올바른 미래가 전개되도록 산파 역할을 담당하는 것은 문학이 짊어져야할 중요한 임무인 것이다.

이렇듯 일제강점기와 해방, 미·소군정기, 6. 25 전쟁, 휴전으로 인한 남북 분단 등으로 문학가들은 내가 누구인가를 고민하고 어떤 입장을 취하는 것이 타당한 것인가를 선택했다. 역사가 어떻게 흘러가든 그 흐름에 몸을 맡기는 순응적인 문학가도 있다. 오히려 상황을 역이용하여 자신의 안일과 이득을 위해 공동체의 이익 따위는 아랑곳하지 않고 기회주의자처럼 살아가는 문학가도 있을 것이다. 역사를 개척하며 살 것인가. 현 위치에 있으면서 오로지 자신의 연명을 위한 작품 활동을 할 것인가. 개인보다는 전체를 위해 옳다고 생각되는 곳으로 가서 자신의 의지대로 소신 있는 문학 활동을 할 것인가. 이러한 고민이 문학가들을 월북하게 만드는 요인이기도 했다. 월북이든 납북이든 북한이라는 체제 안으로 편입되어 산 것은 마찬가지이므로 월북문학가 몇 명의 행로를 간단하게 살펴보고자 한다.

일제강점기에서 해방된 후 오랜 세월이 흘렀다. 그런데 아직 우리는 해방의 참맛을 모른다. 미·소 군정기와 휴전으로 인한 분단으로 냉전과 긴장의 역사가 전개되어 진정한 해방을 누리지 못한다. 원인의 본질부터 살핀 후에 문제점들을 분석하는 하는 것이 타당하다. 이 관점에서 월북문학가들을 바라보고 그들을 이해하는 것은 생태적인 통일문학으로 가는 긍정적인 디딤돌 역할을 할 것이다.

뿐만 아니라 문학의 사상적 허용은 어디까지인지도 고민해봐야 한다. 정부가 바뀔 때마다 예술가들에 대한 표현의 자유를 인정하는 정도가 다르다. 정부가 얼마나 민주적인가를 보려면 예술인들에게 표현의 자유를 얼마나 주느냐를 보면 안다. 어떤 정부는 보수적인 문학단체를 지지해주고 진보적인 문학단체는 경계를 한다. 진보적인 문학가들을 지지해주지 않을 뿐만 아니라 표현이 거슬리면 구속하는 경우도 다반사였다.

문학은 사람의 마음을 움직이고 생각을 바꾸며 행동하게 하는 힘이 있다. 사회 변혁을 꿈꾸는 문학의 경우 세상을 비판적으로 바라보면서 설득력 있게 세계관을 전개해 간다. 문학가를 정치인들이 두려워하는 것은 당연한 귀결인지도 모른다. 요컨대 문학가의 진정한 역할과 더불어 문학가가 나아가야할 방향을 고민하면서 이데올로기의 틀 안에서 고통을 겪어야했던 불우한 시대의 월북 문학가들에게 경의를 표하면서 이 글을 전개한다.

2. 점등

문학가들의 월북 시기는 분단이 시작되는 해방 직후부터 남북 전쟁까지 이루어졌고 전쟁 중에도 이루어졌다. 한국 전쟁 이전에는 미군정의 사회주의 정치 세력에 대한 탄압과 친일세력 옹호에 대한 부정의식으로 북으로 가는 경우가 많았다. 문학가의 월북 시기는 제 1차는 1945년 말부터 1946년까지의 시기로 잡는다. 1945년 12월에 조선문학건설본부와 조선프롤레타리아문학가동맹이 조선문학가동맹으로 통합된다. 통합과정에서 주도권을 빼앗긴 한설야, 이기영은 평양에서 새로운 조직을 만든다. 뒤를 이어 1946년 초 안광함, 송영, 안막, 한효, 이동규, 윤기정, 박세영 등이 평양으로 가 합류한다. 제 2차 월북은 1947년부터 대한민국 정부가 수립되기 직전까지다. 1946년 5월 정판사 위폐사건과 1946년 9월 철도 파업으로 미군정은 좌익을 탄압했고 이에 남로당 간부들이 월북하게 된다.

조선문학가동맹의 이태준, 임화, 김남천, 이원조 등도 월북했다. 제 3차 월북 시기는 한국전쟁시기이다.

월북 문학가들은 사상적 이유로 한동안 연구가 거의 이루어지지 못했다. 1970년대 일부 학자들이 연구했으나 발매금지를 당하기도 했다. 1987년 김학동의『정지용 연구』 등이 시작되면서 김윤식과 정호웅이 박영희 최재서 조명희 이기영 한설야 등의 소설을 연구해서 책을 출판했다. 1988년 납·월북작가의 작품에 대한 해금 조치로 창작집을 본격적으로 발간했다. 정지용, 김기림, 이태준, 박태원, 백석, 이용악, 임화, 김남천, 오장환, 이찬, 안회남, 조명희, 현덕, 엄혼섭, 하준, 숭영, 최명익, 홍명희, 이기영, 한설야 등이 작품집이 이 시기에 발간이 되었다. 조동일, 권영민 등이 연구에 합세해서 납·월북작가에 대한 연구도 서서히 활기를 띠게 된다. 이러한 현상은 해방 후 중요 문학가들이 납·월북했기 때문에 불연속적으로 전개되는 남한 문학계를 정비하고 한국 근대 문학사를 제대로 연구하려는 움직임의 성과였다. 해방공간의 문학운동을 비롯하여 문학 이론과 작품론을 연구하여 한국민족문학사를 정립하기 시작한 것이다.

3. 발화

작품 속에는 창작자의 경험이 투영된다. 정치적 사회적 상황과 삶의 이력들이 직접적 또는 간접적으로 작품 속에 드러난다. 월북문학가들이 살았던 시기는 격동의 시기였기 때문에 문학가의 삶 또한 역사적 상황 속에서 전개가 된다. 일제강점기의 부당한 현실에 대한 부정의식을 문학에서 강렬하게 표출하고 작가 행동을 통해 직접 실천성을 띠기도 했다. 이들이 주로 진보적 단체를 결성하고 변혁을 시도한 문학가라고 볼 수 있다. 또 다른 유형으로는 문학 작품에서는 진보적 성향을 드러내면서 실천적 측면에서는 소극적인 자세를 취한 문학가가 있다. 또 다른 유형은 작품 속에서도 서정성을 담보하고 향토적이거나 목가적인 시를 쓰면서 삶 또한 현실적 상황을 극복하려는 적극적 실천보다는 문학작품 활동만 했던 문학인이 있다. 어떤 유형이든지 현실은 작품 속에서 강도를 달리하여 다른 모습들로 존재한다. 요컨대 시가 어떤 모습으로 있든지 정도의 차이일 뿐 진정한 문학이라면 현실을 노래하고 미래를 전망한다.

월북문학인들은 작품뿐만 아니라 작가 행동의 실천적인 측면에서 진보적인 경향을 가지고 있는 경우가 많다. 진보적인 문학인들에게는 모험과 희생과 용기가 필요하다. 이 시대에 월북문학가를 다양한 연구방법으로 연구가 계속되어야하는 이유도 여기에 있다. 요컨대 월북문학가들을 통해 우리가 또는 우리 문학이 앞으로 추구해야하는 것이 무엇인지 반성하고 계획하게 한다는 것이다. 지금 우리는 무엇에 의해 생태적 삶을 지배받고 있는지 살펴야한다. 어떤 영향으로 우리가 삶을 움직이고 역사를 전개해 나가고 있는지 살펴야 한다. 자본인지 미국인지 북한인지 디지털 세계인지 정부인지 등 우리의 자유가 어떤 방법으로 억압받고 있으며 무엇으로 인해 고통을 겪고 있는지 살펴야한다. 오랜 세월 분단된 민족이 풀어야할 과제는 무엇이고 통일을 위해 문학이 나아가야할 바를 고민해야한다. 그 기본 성찰의 디딤돌이 월북문학가들이다.

월북문학가가 북한에 가서 어떻게 문학 활동을 하고 살았는지는 크게 세 가지 정도로 분류할 수 있다. 첫 번째는 북한 체제에 잘 부합하여 문학가로서 인정받고 활동을 계속한 경우이다. 두 번째는 처음에는 인정을 받다가 좌천이 되고 다시 복구되어 작품 활동을 한 경우이다. 세 번째는 가장 많은 문인들이 해당되는 경우로 문학 활동은커녕 월북한지 얼마 되지 않아 숙청대상으로 지목 되고 숙청된 경우이다. 숙청된 문학가는 사형을 당하거나 노동현장에서 힘들게 일을 했고 병이 들어 고통을 겪다가 사라져갔다. 어떤 경우이든 월북문학가는 한국문학사의 통증이고 흉터이다.

월북 문학가들이 만약 남한에서 활동을 했다면 우리 문학사는 더 풍성한 문학적 성과를 이뤘을지도 모른다. 정지용 같은 시인도 마찬가지다. 1935년 『정지용 시집』이 발간되자 현대시가 비로소 시작된다는 극찬을 받았다. 한국 현대시의 아버지라 불리게 된 정지용은 천재시인이었다. 당시 서울 휘문고보에서 공부하고 일본 도지사 대학에서 영문학을 전공한 엘리트였기도 했다. 정지용은 귀국하여 휘문고보에서 영어교사를 하다가 8·15광복 후에는 이화여자대학교 문학부에서 문학 강의와 라틴어를 강의했다. 경향신문사 주간을 역임하기도 했으나 모든 공적인 일들을 다 정리하고 녹번리 초당에서 은거했다. 한국전쟁 때 납북되었고 행방은 알 수 없지만 오랜 기간 월북 시인으로 오인되었다. 문교부는 정지용이 1949년 좌익 계열의 조선문학가동맹에 가입했다는 이유로 좌익 필자군에 포함시켰고 중등학교 교과서에서 「고향」 등 10편의 작품을 모두 삭제했다. 정지용은 문학사에서 지워진 시인이었다가 1988년도 해금 후에야 출판과 문학사적 논의가 가능했다.

"오오 패롤[鸚鵡] 서방! 굳 이브닝!"
"굳 이브닝!"(이 친구 어떠하시오?)

울금향(鬱金香) 아가씨는 이 밤에도
경사(更紗) 커튼 밑에서 조시는구료!

나는 자작(子爵)의 아들도 아무것도 아니란다.

남달리 손이 희어서 슬프구나!

나는 나라도 집도 없단다
대리석(大理石) 테이블에 닿는 내 뺨이 슬프구나!

오오, 이국종(異國種) 강아지야
내 발을 빨아다오.
내 발을 빨아다오.

- 정지용, 「카페프란스」 부분, 『학조』 1호, 1926년 6월.

넓은 벌 동쪽 끝으로
옛이야기 지줄대는 실개천이 휘돌아 나가고,
얼룩빼기 황소가
해설피 금빛 게으런 울음을 우는 곳,

-그곳이 차마 꿈엔들 잊힐 리야.

질화로에 재가 식어지면
비인 밭에 밤바람 소리 말을 달리고,
엷은 졸음에 겨운 늙으신 아버지가
짚벼개를 돌아 고이시는 곳,

- 정지용, 「향수」 부분, 『조선지광』 65호, 1927년 3월.

내가 인제
나븨 같이
죽겠기로
나븨 같이
날라 왔다
검정 비단

네 옷 가에
앉았다가
窓 훤 하니
날라 간다

- 정지용, 「四四調五首」 중 「나비」 전문, 『문장』 8호, 1950년 6월.

「카페프란스」에서 보이는 이지적 모더니즘의 시세계에서부터 「향수」 같은 향토성이 짙은 시세계와 「나비」와 같이 초월적이고 자연 친화적인 생태학적 세계관에 이르기까지 다양하게 작품 세계를 변모해가며 시인으로서의 위치를 구축했던 정지용의 시맥이 납북으로 인해 끊어지게 된다. 청록파를 문단에 데뷔시키고 한국문학의 세계를 확장시켰을 뿐만 아니라 지식인으로서 한국문학계에 공헌했던 문학가가 납북 후 사라진 사실은 한국 문학사적으로도 안타까운 일이다.

14세 때 시 「누님」으로 등단한 박태원은 다양한 장르로 형식 실험을 시도했기 때문에 스타일리스트라 불렸다. 1950년 남북전쟁 중에 월북하여 평양문화대학 교수로 재직했다. 국립고전예술극장 전속작가로 조운과 『조선창극집』을 출간하기도 한다. 1956년에는 남로당 계열로 분류되어 함경도 벽지로 좌천되고 집필도 금지 당한다. 다양한 장르를 넘나들며 다작을 했던 그에게 집필금지는 큰 형벌이다. 다행히 52세에 작가로 복귀하지만 실명에 전신불구가 된다. 작가의 끈을 놓지 않고 구술로 「갑오농민전쟁」을 써서 1986년 완성하고 죽는다. 박태원의 경우 중간에 맥이 한번 끊어지기는 했지만 불구가 된 몸으로도 작가의 길을 갔다. 박태원은 문학가로서 자존심은 지키려고 했던 의지가 강한 작가이다. 대부분의 월북문학가가 숙청당한 것에 비해 나은 편이지만 다양한 장르를 드나

들면서 형식 실험을 하던 박태원이 체제와 감시 아래 창작을 할 수 밖에 없었던 것은 유감스러운 일이다.

월북문학가들이 문학사의 통증으로 남아있는 가장 큰 이유는 많은 문학가가 숙청을 당했다는 것이다. 백석은 평안도 방언을 시어로 사용하여 토속적인 정서를 아름답게 형상화해낸 한국문학에서 중요한 시인이다. 백석 또한 월북 이유로 금기시되다가 해금 후 인기 시인으로 등장했다. 백석은 서울 문단에서 활동을 몇 년간 하다가 만주일대를 유랑했다. 해방 직후 만주에서 고향인 평북 정주에 돌아온 그는 6·25이후에도 남하하지 않았다. 부모를 비롯한 일가가 모두 고향 근처에 살았으니 고향에 머무는 것이 이상할 것도 없겠으나 이 시기는 시보다는 번역을 하거나 동시나 동화를 발표했다.

백석은 1935년 『조선일보』에 「정주성」을 발표하고 이듬해 시집 『사슴』을 낸다. 백석은 1941년 이전에 시를 주로 발표했고 재북 기간에는 시를 거의 쓰지 않았다. 만약 서울에 있었다면 백석의 시세계는 더 펼쳐졌을 지도 모른다. 아무튼 백석이 시인으로 위대한 이유는 일본 아오야마 학원 영문과에 다녔고 러시아어와 프랑스어 등 외국어 실력이 상당했음에도 불구하고 서구적 세계관이나 형식을 모방하기보다는 사투리를 사용하여 백석만의 독특한 시세계를 향토적으로 구축했다는 것이다.

> 하늘이 이 세상을 내일 적에 그가 가장 귀해하고 사랑하는 것들은 모두
> 가난하고 외롭고 높고 쓸쓸하니 그리고 언제나 넘치는 사랑과 슬픔 속에 살
> 도록 만드신 것이다
> 초생달과 바구지꽃과 짝새와 당나귀가 그러하듯이
>
> – 백석, 「흰 바람벽이 있어」 부분, 『문장』, 1941년.

새끼오리도 헌신짝도 소똥도 갓신창도 개니빠디도 너울쪽도 짚검불도 가락잎도 머리카락도 헌겊 조각도 막대꼬치도 기왓장도 닭의 깃도 개터럭도 타는 모닥불

재당도 초시도 문장(門長) 늙은이도 더부살이 아이도 새사위도 갓사둔도 나그네도 주인도 할아버지도 손자도 붓장사도 땜쟁이도 큰개도 강아지도 모두 모닥불을 쪼인다

모닥불은 어려서 우리 할아버지가 어미아비 없는 서러운 아이로 불상하니도 몽동발이가 된 슬픈 역사가 있다.

– 백석, 「모닥불」 전문, 『사슴』, 1936년.

백석의 위 시는 사랑과 슬픔으로 젖어들게 하고 따뜻함과 쓸쓸함 등의 감정을 교차시킨다. 작고 소박한 것들을 통해 시대 상황이 어떠하고 그것을 극복하는 방법이 무엇인지의 의미까지 도출해 낼 수 있다. 하늘이 가장 사랑하는 존재에 대해 준 것은 '외롭고 높고 쓸쓸함'이다. 그리고 사랑과 슬픔이 넘치는 삶이다. '늙은이도 더부살이 아이도 새사위도 갓사둔도 나그네도 주인도 할아버지도 손자도 붓장사도 땜쟁이도 큰개도 강아지' 모두 둘러 앉아 모닥불을 쪼인다. 모닥불을 따뜻하게 피우고 있는 것은 "새끼오리도 헌신짝도 소똥도 갓신창도 개니빠디도 너울쪽도 짚검불도 가락잎도 머리카락도 헌겊 조각도 막대꼬치도 기왓장도 닭의 깃도 개터럭" 등이다. 버려진 것이나 아무 쓸모없을 것 같은 것들이 모여 따뜻한 모닥불을 피워내고 수많은 사람들과 짐승들을 따뜻하게 해주는 이 이미지는 '외롭고 높고 쓸쓸'하며 감동적이다. 사랑이 가득하고 슬프다. 서러운 불구 같은 우리 역사가 불구적 상황을 이기는 바람직한 방법 중 한 면은 이런 모습이 아닐까. 작지만 가진 것을 서로 희생하고 서로 둘러 앉아 온기를 나누고 의지하는 그런 자세가 일제강점기뿐만 아니라

지금 우리 현실 속에서도 필요하다.

일제강점기에 백석이 한국인의 삶과 전통을 향토적인 언어와 소재로 깊이 있게 운용했다는 점은 주목할 만하다. 한국 문인이었던 백석은 우리 민족을 일본화시키기 위해 혈안이 되어 있던 일본 제국주의에 대해 한국적인 시로서 강렬하게 저항했던 것이다. 일상적인 삶 속에 있는 사람들과 사물들을 마치 살아있는 듯 감각적으로 표현했고 특히나 우리 언어의 미적 가치를 높이는 역할을 한 백석은 우리 문학이 추구해야할 방향성을 제시한다. 외래어와 신조어들이 무분별하게 범람하는 사이에서도 소박하고 영롱하게 빛을 발하는 별과 같은 토속 언어를 지켜나가고 우리 언어를 작품 속에서 미적으로 운용하는 것이 절실히 요구된다. 요컨대 한국인으로서 또는 문학가로서 나는 누구인가를 알고 어떻게 살아야 하는지 백석 시가 제시하고 있다는 것이다.

북한 내부의 당파분쟁으로 인해 백석은 1958년 숙청된다. 국영협동조합에서 양치기 일을 하였고 1962년 북한의 복고주의 비판과 연관되어 창작활동을 중단했다.

임화는 21세 때 시 「우리 오빠와 화로」 「네거리의 순이」 등의 단편서사시를 발표하여 경향시의 새로운 가능성을 제시함으로써 문단의 주목을 받았다.

오빠-그러니 염려는 마세요
저는 용감한 이 나라 청년인 우리 오빠와 핏줄을 같이한 계집애이고
영남이도 오빠도 늘 칭찬하든 쇠 같은 거북무늬 화로를 사온 오빠의 동생이 아니에요
그리고 참 오빠 아까 그 젊은 나머지 오빠의 친구들이 왔다갔습니다
눈물나는 우리 오빠 동무의 소식을 전해주고 갔어요

사랑스런 용감한 청년들이었습니다
세상에 가장 위대한 청년들이었습니다
화로는 깨어져도 화젓갈은 깃대처럼 남지 않았어요

- 임화, 「우리 오빠와 화로」 부분, 『조선지광』, 1929년.

자 좋다, 바로 종로 네거리가 예 아니냐!
어서 너와 나는 번개처럼 두 손을 잡고,
내일을 위하여 저 골목으로 들어가자,
네 사내를 위하여,
또 근로하는 모든 여자의 연인을 위하여-
이것이 너와 나의 행복된 청춘이 아니냐?

- 임화, 「네거리의 순이」 부분, 『조선지광』, 1929년.

위 시는 카프 계열의 이데올로기를 직접적으로 드러내는 시들과는 달리 선동적인 성격을 가지고 있음에도 불구하고 서정성을 확보함으로써 미적 성취와 더불어 사상성을 표현했다. 「우리 오빠와 화로」의 시적주체는 연약한 소녀로 동생을 보살피는 가장이다. 오빠는 혁명을 위해 집을 나가 있지만 힘든 현실에 대한 원망보다는 오빠가 얼마나 마땅한 일을 하고 있는지, 위대한 일을 하고 있는지 자랑스러워한다. 시적주체는 혼자 동생을 보살피고 일을 하는 소녀 가장임에도 자신의 처지를 비관하지 않는다. 시적주체는 자신의 처지를 슬퍼하는 것이 아니라 혁명을 꿈꾸다가 변을 당했을 오빠 친구를 생각하니 눈물 나는 것이고 그런 오빠들이 사랑스럽다고 표현하고 있다. 임화의 위 시는 읽는 독자로 하여금 세상을 바꾸려고 노력하는 일이 얼마나 자랑스럽고 위대한 일인지 감성을 자극하며 의미를 부여하고 있다. 선정적 구호 같은 리얼리즘 계열의 일부 시보다 잔잔한 가운데 설득력을 획득하고 있다.

임화는 시인뿐만 아니라 비평가로서 활동도 두드러졌다. 임화는 카프 조직론에서부터 창작방법론까지 제시했고 리얼리즘론 등을 발표했다. 다다이즘 시인에서 마르크시즘 문학운동 단체 카프KAPF의 서기장으로 활동하는 등 폭넓은 문학세계를 전개해가던 임화는 일경에 검거되기도 했다.

> 희망을 갖는다는 것은 어려운 일이다
> 더우기 옳은 희망을 실천한다는 것은……
> 그러나 희망을 버린다는 것은 일층 더 어려운 일이다
> 비록 죽음이 일체를 무덤 속에 파묻는 때라도 ……

> – 임화, 「단장」 부분

죽음의 극복보다 더 절실한 것이 희망이다. 일제강점기의 암울한 상황 속에서 희망을 노래하고 실천을 하는 것은 목숨을 건 행위다. 폐렴이 걸린 상태에서 일본의 압박은 더 심해지고 결국 카프가 해산되지만 임화는 끝까지 희망을 가지려고 했다. 위 시는 '비록 죽음이 일체를 무덤 속에 파묻는 때'라도 '희망을 갖'고 '옳은 희망을 실천'하여 폭력적인 일제강점기를 극복하려 했던 민족시인 임화의 간절한 염원이 절절히 드러난다. 임화 같은 시인은 후대의 문학가들에게 무엇을 추구하며 글을 써야하는지 본보기가 된다. 현실 상황에 대한 부당함을 노래하고 미래를 꿈꾸고 전망하는 일을 문학가가 해야 하는 것이다.

임화는 해방 후에도 이원조, 김남천, 이태준 등과 함께 조선문학건설본부 결성하고 의장을 맡았던 좌파문단의 선봉장이었다. 1946년에는 전

조선 중앙위원으로 한설야, 한효 중심의 당파성과 구분되는 인민성 개념을 확립한다. 이 시기에 「인민항쟁가」를 발표한다. 남로당 단체인 박헌영, 이강국 노선의 민전 기획차장을 맡음으로써 남로당 문화담당 최고이론가가 된다. 박헌영 추종자로 월북 전 박헌영을 찬양하는 시를 발표했다. 6.25 발발 직후에 「서울」을 노래했던 임화는 월북 후 「평양」, 「모쓰크바」, 「四0년」 등을 발표한다.

> 피와 눈물로 찌들은 경상도 전라도
> 바닷가에 이르는 온 강토에
> 조국의 깃발을 하늘 가득 펼쳐 있게 하라
> 그리하여 당신의 태양 아래
> 오곡 무르익고 백화 란만케 하라
> 이것을 위하여 무엇이 필요한가를 왜 모르겠는가
> 당신의 사람인 우리들 조선 인민이
> 그것이 당신에의 복무, 조국에의 충성임을─
> 지내온 四0년과 같이 四억년의 무궁한 앞날에 이르기까지.
> 원쑤의 마지막 가슴팍에 우리의 총창이 꽂힌 후
> 풍파 고요한 조국 바다에
> 천만의 해가 뜨고 달이 질 때까지─

─ 임화, 「四0년」, 1951년.

위 시에서 보듯이 시적주체는 김일성을 찬양하며 충성을 노래한다. 요컨대 임화는 북한에서 살아남기 위해 김일성주의자로 변신을 시도한 것이다. 안타깝게도 결국 박헌영과 함께 미제간첩으로 몰려 1953년 46세로 총살을 당하는 불운을 겪는다. 시·비평·문학사·영화 등 다방면에서 능력을 발휘하던 임화는 한국 역사에 적극적으로 가담하여 민족의 상황을 극복하고 새로운 시대를 만들어 보고자한 실천가였다. 역사의 수레바퀴와 함께 운명을 달리했지만 우리 문학사에서 진정한 문학가 중 한명이다.

이태준은 철원에서 태어나서 일찍 고아가 된다. 고학으로 휘문고보를 졸업하고 일본 조치대학 예과에 다니다가 중퇴했다. 구인회의 구성원이 되면서 서정성이 있는 순수문학을 지향했다. 『문장』을 창간하여 문학사에 공헌을 했다. 1940년대는 일본어 작품을 발표하고 친일단체 활동을 돕기도 했지만 1943년에 절필하고 칩거한다. 해방 뒤 좌익 문학단체인 '조선문학가동맹'의 중앙집행위원회의 부위원장직을 맡았고 1948년 7월경 홍명희와 함께 월북했다.

이태준은 한국전쟁 때 종군작가로 낙동강까지 온 적은 있다. 1952년부터 순수예술을 지향하여 카프를 반대했던 구인회에서 활동한 이력과 친일작품을 썼다는 이유로 비판을 받고 1956년 숙청당했다. 이태준 역시 남한에서 다작을 하며 작품 세계를 펼쳐나갔지만 북한에 가서는 문학가로서 제대로 날개를 펴보지도 못하고 막을 내렸다.

4. 조망

북한과 남한의 문학은 한민족의 문학이다. 월북문학가들이 숙청 등으로 개별 문학사뿐만 아니라 우리 민족 문학사에 일부 단절을 가져오기도 했지만 그들의 행보를 더듬는 일은 의미심장하다. 월북문학가들이 일제강점기와 해방, 미·소군정기, 6. 25 전쟁, 휴전으로 인한 남북 분단 등의 상황 속에서 정체성의 문제를 고민하고 문제점들을 극복하려고 했던 것처럼 세계화와 현대라는 복잡하고 다변화된 시대에 나는 누구인가라는 정체성 문제를 심각하게 고민할 필요가 있다. 아직도 휴전 상태로 분단

되어 남북 문학이 다르게 전개 되고 있는 시점에서 월북문학가들을 통해 앞으로 통일 문학의 방향성도 함께 적극적으로 모색되어야한다. 어떻게 살 것인가라는 방향성과 더불어 실천의 문제를 성찰하고 생태적인 통일을 준비해야하는 것이다.

문학의 자유는 휴머니즘을 넘어 생태학적 세계관에 대해 인식하고 실천하는 때라야 온전하다. 월북문학가들을 통해 오늘날 인식의 확대를 모색해야할 부분이다. 생태적 사유 속에는 지배와 피지배의 개념이 아니라 생태학적 연결고리 속에서 서로가 서로를 인정해야 한다. 남북이 서로 받아들일 것은 받아들이고 베풀 것은 베풀어야 한다. 세계는 인드라의 그물망처럼 서로를 비추면서 연결되어 있다. 특히 북한과 남한은 한민족이며 같은 역사를 가지고 있으니 단단한 연결 고리로 연결이 되어 있다.

휴전으로 70년 가까이 북한과 남한으로 분단된 채 문학사가 전개되어 왔지만 남북은 하나의 핏줄로 연결되어 있고 동질의 한국 정서와 한국어로 문학을 일궈나간다. 한국문학으로 서로 소통하고 이해하며 통일로 나아가는 방법은 문학이 가진 효용성과 예술성으로 충분히 가능하고 타당하다. 문학으로 남한과 북한이 서로를 비추며 하나의 온전한 민족문학을 형성해야한다.

현재 한국문단에는 보수적인 문학가와 진보적인 문학가가 존재한다. 때로는 서로를 신랄하게 비판하거나 비난하는 목소리도 접하게 된다. 부정적인 비난의 형태가 아닌 서로의 다름을 인정하고 귀를 기울이는 것이 중요하다. 다르다고 단절하는 것이 아니라 자유로운 소통이 이루어졌을 때 진정한 민주주의가 실현된다. 가슴을 열고 두 팔을 벌렸을 때 문학의 민주화가 이루어진다. 정부도 마찬가지다. 과거에는 민주화를 위해 다소 진보적인 문학가에게 정부가 폭력적인 방법을 동원하기도 했다. 이제 정부도 문학가의 소리에 더 귀를 기울여서 우리 역사가 생태적으로 나아가야 할 방향을 함께 모색해야 한다.

또한 앞으로 남북분단으로 희생되었던 월북문학가를 더 깊이 있게 연구하여 진정 추구해야할 문학가의 태도는 무엇인지 성찰하고 미래를 전망하는 것이 필요하다. 통일뿐만 아니라 통일문학과 민족문학의 방향성은 생태적인 세계관이 첩경일 수 있다. 먼저 문학으로 평화적 통일을 이룰 수 있도록 문학가는 조화와 평화를 노래하면서 생태적인 민족문학을 만들어 가야할 것이다.

비판적 현실인식과 서정적 이미지의 변주곡

1. 서민의 곡비

서정춘 시

시인은 작품에 맞는 시적 언어를 갈망하는 것이 아니다. 시는 많은 언어를 욕망하고 포획하는 것이 아니다. 시적 언어는 스스로 시인에게 와서 춤추고 노래하면서 자연스럽게 시인에게 스며서 저절로 시인은 시를 쓰게 된다. 시인과 언어가 서로에서 들고남이 자유로울 때 자연스럽게 시가 된다. 이러한 시적언어를 생태적 언어라고 해도 무방할 것이다.

서정춘 시인의 시가 그렇다. 단순하면서도 고요하고 짧은 시어로 깊이 있는 삶을 표현한다. 즉 서정춘 시인의 시는 수많은 언어를 포획하고자 하는 언어 예술가의 욕망을 통과했다. 이글거리는 욕망의 세계를 뛰어넘은 언어적 경지에서 서정춘 시인은 시를 쓴다. 서정춘의 시에는 비워져서 빛나는 은빛 뼈들이 보석처럼 박혀 있다. 서정춘 시의 언어와 이미지에는 기다림과 수행의 흔적이 있어서 경건함이 느껴진다.

또한 서정춘 시인의 시는 은근하게 발현되는 슬픔과 애잔함이 있다. 애틋함과 맑음이 향수와 어우러져 빚어내는 정조는 친근함을 갖게 한다. 서정춘 시는 현대인의 마음 깊숙한 곳에 내재되어 있는 고향과 마주하게 하는 묘한 매력이 있다. 시에 등장하는 인물이 주로 서민이며 의미의 측면에서는 서민에 대한 깊은 애정이 묻어난다. 서정춘의 시는 서민의 아픔을 대변하고 울어주는 곡비를 연상하게 한다.

1) 회상 그리고 슬픔

서정춘 시에 나타나는 회상은 슬픔의 감정을 기조로 한다. 슬픔의 원인은 경제적 궁핍과 역사적인 사실에 기인한다.

> 나에게는 여러 십 년 전전날의
> 저 빨치산 아낙 같은 누님이 있어
> 전설처럼 멀고 먼 산골 마을로
> 달비 끊어 오겠다며 길 떠난 지 오래
> 여태도 소식 없어 낮달처럼 희미해진
> 누님의 이름은 은희였다
> (울다가 웃음 반 울음 그친 얼굴의 …)
>
> – 「은희」 전문

역사는 개인의 삶에 지대한 영향을 준다. 근래에는 민중이 이룬 촛불 문화가 역사적 오류들은 바로잡고 새로운 민주 역사를 만들기도 했다. 이는 민중이 주체적으로 민주주의를 만들어가고 역사를 만든 대사건이다. 민중이 들고 있는 촛불은 촛불혁명이다. 그런데 거대한 역사의 바퀴 속에서 주체적으로 역사를 바로 잡으려고 거리로 나선 민중들은 끊임없이 삶을 위협 받고 곤경에 처했다. 순천 지역 사람들은 6. 25 전쟁뿐만 아니라 여순사건을 겪었다. 폭력적 상황에 놓인 민중의 삶은 척박해질 수밖에 없다. 특히 가난한 서민에서 폭력적 역사가 덮친 경우 삶 자체가 고단함이고 슬픔이다.

서정춘의 시는 개인과 역사가 맞물려서 거친 파도 같은 역사적 상황 속에 놓여있는 서민의 절절한 삶을 보여준다. 서정춘 시인의 시에서 나타나는 서민의 삶은 서민이 간절하게 원하는 것이 무엇인지 보여준다. 또한 서민이 곧 하나의 촛불임도 보여준다.

위 시에 등장하는 시적주체는 전쟁과 여순사건을 겪고 가난하게 살았던 시절의 서민이다. 당시 서민은 종일 남의 집 일을 하고 보리 반 되 얻어와 대가족이 겨우 연명했다. 치료비가 없어 병원에 못 가고 극심한 빈곤 속에 사는 사람도 있었으며 여자들도 산에 가서 땔감 나무를 해야 했다. 무거운 나무를 이고 몇 십리를 걸어 장에 내다 팔아봐야 먹고 살기에는 턱없이 부족했다.

돈이 좀 되는 일은 달비를 파는 일이었다. 달비는 머리를 땋아서 둥글게 틀어 얹은 가발이다. 시인의 설명처럼 당시 달비를 수출했다. 달비를 만들기 위해서는 여자의 긴 머리가 필요하다. 당시 순천 시골 마을에 달비를 사려는 사람이 들어왔다. 동네 여자들은 어린 자식을 두고 타지로 가서 달비 만들 머리카락을 사왔다. 여자들은 혼자 가기도 하고 짝을 지어서 가기도 했다. 돈이 없으니 방을 빌릴 수 없기 때문에 부잣집 일을 해주면서 헛간에 자기도 하면서 달비를 모아 집으로 돌아왔다. 그 기간이 한 달이 될 수 있고 여러 달이 될 수도 있다.

위 시에서 은희 누님도 '달비를 끊어 오겠다며' 길을 떠난다. 그런데 돌아오지 않는다. 달비를 끊으러 어디로 간지도 모른 채 기다릴 수밖에 없는 시적주체는 누님의 존재가 너무 아득하고 막막하여 '전설처럼 멀고 먼 산골 마을'로 떠났을 것이라고 말한다. 마치 깊은 산골에 들어가 찾을 수 없는 빨치산처럼 은희 누나를 찾을 길이 없다. 그래서 시적주체는 '빨치산 아낙' 같은 누님이라고 표현한다. 고향에 돌아오지 못하는 빨치산 아낙 같은 삶을 시적주체는 슬픔의 정조로 표현하고 있다.

달비를 끊기 위해 고향을 떠날 수밖에 없었던 사연을 다 헤아릴 수는 없지만, 고향으로 돌아오지 못하는 누님의 슬픔과 그런 누님을 생각하는 시적주체의 슬픔이 역사적 아픔으로 다가온다. 비생태적 상황 속에서 소외된 서민의 삶과 시인이 도달한 투명한 언어의 경지가 닿아 아름다운 서정과 애잔한 분위기를 자아낸다. 은희 누님은 '울다가 웃음 반 울음 그친 얼굴'로 있다. 시적주체의 슬픔과 그리움은 '은희'라는 맑고 따스한 이름과 어우러지면서 미적으로 승화된 슬픔으로 다가온다.

저, 口音이 애터지다
구구절절
구구절절
구걸이 안 된 곡절이 저렇다

–「비둘기 1」 전문

슬픔에 뒤따르는 것은 단연 울음일 터이다. 비둘기의 소리가 시적주체에게 울음으로 들린다. 시인은 구걸을 해야 할 만큼 배고프다. 위 시는 어려운 민중을 비둘기를 통해 형상화하고 있다. 구걸 밖에 알 수 없이 가진 것이 없으니 얼마나 애타고 슬프겠는가. 시적주체는 구구구구 우는 비둘기의 울음소리를 '口音이 애터지다'고 표현한다. 애터지게 구음을 내고 있는 비둘기는 그만큼 사연이 많다. 굶주릴 수밖에 없는 사연, 길거리에서 울 수밖에 없는 아픈 사연들을 어떻게 한마디로 표현할 수 있겠는가. 저마다 '구구절절' 사연이 있다.

사람에게는 슬픔의 유전자가 있다. 인간에게 주어진 상황들은 개인이 극복하기에 한계가 있을 수 있다. 개인은 역사라는 거대한 상황 속에 놓인 존재이다. 구걸을 할 수 밖에 없는 상황에 내던져 있는 것은 오롯한 혼자만의 책임이나 문제가 아니라 비생태적인 상황이라는 맥락 속에 존재한다. 가난이라는 상황에서 살아남는 방식 중 하나는 어쩔 수 없는 구걸인데 위 시에서는 구걸이 안 되어 배고픈 존재가 '구구' 운다. 즉 비생태적인 역사 속에서 견디며 살아가고 있는 서민의 울음소리로 부조리한 시대의 가난한 존재의 슬픔을 위 시는 드러낸다.

인간은 태어날 때부터 온전히 자신이 환경을 선택할 수가 없다. 자기도 모르게 그런 환경에 처해지게 되고 그런 시간과 공간과 사람들 사이에서 실존해야한다. 그런데 위 시의 비둘기는 처해진 환경에서 생존조차 위협받고 있다. 애가 터지도록 구음을 내고 있는 저 절절한 존재는 일반적인 서민의 모습이기도 하다. 구걸이라도 해야 살 수가 있는데 그것마저 되지 않아 허기가 지니 얼마나 애터지는 일인가. 역사적 상황 속에서, 어려운 삶의 터전에서 힘겹게 생활고를 해결해야 하는 서민의 한 일면을 우리는 서정춘 시 「비둘기 1」에서 보는 것이다. 정도의 차이가 있더라도 현재 서민의 삶 또한 위 시 비둘기와 크게 다르지 않다. 서정춘 시에서 등장하는 화자는 이렇듯 가난과 슬픔을 지닌 서민의 삶을 내용과 형식의 절묘한 조화를 통해 감각적이면서도 미적으로 표현해내고 있다.

앓다
서럽다
비 오는 날의 곡비겠다

노숙자의,

– 「비둘기 2」

「비둘기 1」에 이어 「비둘기 2」에도 집 없이 길거리에서 살아가는 노숙자의 삶을 비둘기를 통해 보여준다. 돌아갈 곳이 없이 길 위에 사는 삶은 얼마나 고단하겠는가. 그것은 하나의 통증이다. 위 시에서 '앓다'라고 표현함으로써 그 통증의 지속성을 보여준다. 지속적으로 앓는 것은 삶의 질이 낮을 수밖에 없다. 그 삶은 슬프고 서럽다. 지속적 통증은 지속적인 울음을 낳고 삶 자체가 울음이 된다.

시적주체는 가난과 구슬픔에 앓으며 '서럽'게 우는 비둘기를 곡비로 본다. 곡비는 장례 때에 곡성哭聲이 끊어지지 않도록 대신 울어주는 사람이다. 위 시에서 비둘기를 곡비로 전이시킨 것은 서정춘 시인의 서민의식에서 비롯된 것으로 보인다. 곡비의 설정은 자신에게 처한 앓음과 가난과 노숙의 상황을 슬퍼하는 것에서 나아가 타인을 위해 우는 삶을 보여준다. 사실 곡비도 애잔하고 슬픈 삶이다. 계속 곡성을 내야만 살아갈 수 있는 곡비의 삶과 그럼에도 자신이 아닌 타인을 위해서 계속 운다는 의미 구조가 위 시에 깊이를 더한다.

서민의 슬픔을 대신 울어주는 것이 어쩌면 서정춘 시의 역할인지도 모른다. 서정춘 시는 가난한 서민의 삶을 보여주면서 서민의 슬픔을 대신 운다. 타인의 고통을 울어주는 곡비. 서정춘 시인은 '비 오는 날의 곡비'를 비둘기의 구음과 더불어 노래함으로써 미묘한 감동의 파문을 일으킨다. 곡비와 빗물의 이미지가 감각적이고 서정적으로 젖게 하여 삶과 울음의 의미 구조를 더 심층적이면서도 단단하게 형성하고 있다. 오묘하고 슬프고 애잔해서 마음을 아프게 하면서도 삶의 진실을 강렬하게 보여주어 카타르시스를 느끼게 해주는 것이 서정춘 시의 특징이다.

요컨대 서정춘 시는 서민의 울음을 대신 울어주는 곡비의 역할을 하면서 언어의 조탁을 통해 미학적으로 승화시키고 있다. 이러한 서민의 형상화는 연민과 더불어 생명을 귀히 여기는 생태적인 마음 안에서 비롯된다.

2. 비판적 현실인식과 생태적 미래
- 광주전남 『작가』지 출신 시인을 중심으로

『작가』는 광주전남작가회의에서 발행하는 잡지다. 기관 잡지는 조직이나 단체가 추구하는 정신이나 이념 따위를 널리 펴기 위하여 발행하는 잡지다. 따라서 정치 사회 등과 관련하여 표현의 자유와 사회의 민주화를 추구하는 작가회의 정신이 들어 있는 작품을 당선작으로 선정하는 면이 없지 않다. 광주전남작가회의 기관지는 『함께 가는 문학』으로 발간되다가 광주전남 『작가』로 명칭이 변경되었다. 전남 문단뿐만 아니라 한국 문단에서도 적지 않은 족적을 남겼고 오랜 기간 발행된 만큼 문학적 깊이를 갖춘 한국 전문 문학잡지다. 더군다가 『작가』지 출신 시인들이 문단에서 활발히 작품 활동을 하고 있기 때문에 이 시점에서 『작가』지 출신 시인들의 작품 세계를 살펴보는 일은 지당하다.

본 글은 『작가』지로 등단한 장진기, 송태웅, 김황흠, 양기창, 유종 등 다섯 시인을 대상으로 한다.

영광에서 태어난 장진기 시인이 살아온 삶의 이력을 보면 촛불이 떠오른다. 장진기 시인은 서울에서 고등학교 졸업 후 고향 영광으로 가서 농사를 지었다. 다시 서울로 올라가 고려대 국어국문학과에서 공부했다. 대학 졸업 후 다시 영광으로 돌아가 시를 쓰면서 환경운동을 시작한다. 원자력 발전소가 있는 고향에서 환경운동을 한다는 것은 자신을 지키고 고향을 지키는 일이며 지구를 지키는 일이었다. 그래서 촛불을 들었다. 이즈음 어머니 추모시를 『학산문학』에 발표하였고 2000년에 『함께 가는 문학』 신인상을 받았다. 걸개 시화 벽시 등 환경운동과 더불어 문학 관련 문화 행사를 기획하고 영광에서 촛불 역할을 하려고 노력했다. 영광 작가회의 지부장, 영광 민예총 지부장 역임했으며 시집 『사금파리 빛 눈 입자』(2013), 『슬픈 지구』(2016), 『눈길 상사화』(2016) 등의 시집이 있다.

송태웅 시인은 1961년 담양에서 태어났다. 전남대학교 국어국문학과를 졸업하였고 2000년 계간 『함께 가는 문학』 시 부문에서 신인상을 수상하여 등단했다. 시집으로 『바람이 그린 벽화』(2002), 『파란 또는 파랑』(2015)이 있다.

김황흠 시인은 전남 장흥에서 태어났다. 2008년 『작가』로 등단했다. 김황흠 시인은 현재 광주 남구 대촌의 끄트머리 신장동에서 나주 남평 드들강변을 오가며 농사를 짓고 시 창작에도 열중하고 있다. 시집으로 『숫눈』(2015), 『건너가는 시간에』(2018), 『드들강 편지』(2018), 『책장 사이에 귀뚜라미가 산다』(2021) 가 있다.

양기창 시인은 광주청년문학회, 노동자문학회에서 활동을 했다. 2014년 『작가』지에 「수선화」 외 5편으로 신인상을 받았다. 양기창 시인의 시는 사실적이다. 주변 인물들이 직접적으로 여과 없이 등장한다. 이런 측면에서 양기창 시는 현장성을 느끼게 해준다. 철근쟁이 김시인이나 의신 슈퍼 김기수 시인 사장이나 지리산 호랑이 함태식 옹翁도 등장한다. 4.3 사건 등 역사적 장소나 지명도 들어 들어있다. 시집 『불사조 사랑』이 있으며 현재 광주전남작가회의 자유실천위원장이다.

유종 시인은 1963년 전남 해남에서 태어났다. 2005년 광주전남『작가』에 신인으로 추천되었고『시평』여름호를 통해 작품 활동을 시작했다. 목포작가회의 지부장을 하였다.

위에 언급한『작가』지 출신 시인의 시 5편씩을 내용을 중심으로 평하면서 생태의식이 어떠한 양상으로 드러나는지도 살펴볼 것이다.

환경의식을 바탕으로 한 사랑

장진기 시

폐병의 각혈은
꽃무릇
피 바다
피 묻은 육신의
거죽을 닦고
울음의 내장을
꺼내 씻는다

- 「선혈」 전문

　인간의 역사는 민중들에게 피울음 울게 하는 상황을 반복적으로 강요
하며 전개되어 온 경향이 있다. 폭력적으로 전개되는 역사적 사건에 의해
타자화된 민중과 약자들은 수없이 희생되었다. 강자들이 행한 억압과 착
취와 살인 등의 잔인한 역사가 퇴적되어 현재의 문명이 형성된 것이다. 부
조리한 역사의 반복 속에서 결국 민중의 삶은 처참할 정도로 짓밟혀서
피폐해지고 고통과 울음으로 견뎌야 했다. 정진기의 위 시 「선혈」은 그런

역사적 사실 속에서 선혈을 흘릴 수밖에 없었던 민중을 꽃무릇의 핏빛 빛깔로 형상화하여 강렬하게 보여준다.

위 시에서 억압받던 민중은 '폐병'을 앓는다. 온전하게 숨을 쉴 수 없으니 폐가 상할 수밖에 없다. 깊은 병을 앓는 민중은 이제 피를 토한다. 민중이 토한 피가 바다가 될 정도로 아픈 역사 속에서 민중이 할 수 있는 일은 뭐가 있을까. 그대로 피를 토하며 울고만 있을 것인가. 위 시에서 시적주체는 '피 묻은 육신의 거죽을 닦아내'고 '울음의 내장을 꺼내서 씻'자고 권유한다.

눈 위에 쓰러진 상사초
지난 가을 갈증이 불탔다
받아먹는 한 주먹 겨울 햇살
얼음에 식히며
뜬눈으로 식히며
바람에 날리는 거적 같은 별밤을 덮는다
분단 같은 밤
꽃대 올려 붉은 꽃 피우지 말자
폭설로 가려도 번지는 꽃물은 싫다
핏빛은 싫다
푸른 겉기로 발목 묶는
인동의 댕기닢 상사초 이파리
얼음 속에 땡땡 박아 넣는
　마늘 쪽
　민심

– 「상사초」 전문

척박한 삶 속에서 '피 묻은 육신의 거죽을 닦아내고' '울음의 내장을 꺼내서 씻'는 것은 쉬운 일이 아니다. 추수로 풍성했어야 할 지난 가을에도 '갈증으로 불탔'던 삶이기에 한겨울 눈 위에는 더 이상 못 견디고 쓰러질 수밖에 없다. 아름다워야 할 별밤마저도 '바람에 날리는 거적같이' 남루하게 생을 덮는다.

위 시의 배경은 조화로운 우주의 신묘한 조화가 생명의 찬가를 부르는 평화로운 세계가 아닌 '받아먹는 한 주먹 겨울 햇살' 뿐인 결핍의 공간이다. 남북으로 분단된 채 우리민족은 휴전 상태로 오랜 시간을 보냈다. 한 피를 나눈 부모자식 형제가 바로 옆에 있음에도 불구하고 분단으로 만날 수 없다. '분단 같은 밤'의 캄캄한 어둠 속에서 살아가고 있는 것이다. 민족의 분단뿐만이 아니다. 소통 불능의 상황이 민중을 억압하고 있다.

시적주체는 꽃을 피우지 말자고 청유한다. 폐병으로 그동안 흘렸던 각혈로 이미 피바다가 되지 않았는가. 아무리 폭설로 가려도 이 땅에 흘린 민중의 피는 사라지지 않고 오히려 붉게 번진다. 핏빛이 끔찍할 정도로 싫은 시적주체는 이제 '푸른 결기'를 품고 이 겨울을 버티자고 한다. 얼음 속 '마늘 쪽' 매서운 '민심'도 언젠가 싹을 틔울 것이기 때문이다.

놓자
반역과 함께한
해방 뒤의
암각화
친일과 반공의 불립 문자를 밟고
꽃무릇 십일홍
폈다 지는
피 울음,

망각도 지워버릴 수 있다면
이별도 사랑이다
겨레의 암벽 밑에
붉은 꽃대의 혁명 일어선다

- 「암각화」 전문

「상사초」에서 푸른 결기를 품고 이 겨울을 버티자고 했던 시인은 「암각화」에서는 '붉은 꽃대의 혁명'이 일어선다고 말한다. 암각화 되어버린 '친일과 반공의 불립문자'를 밟아 버리고 싶은 것이 시적주체의 솔직한 마음이다. 아픈 역사의 상처를 잊을 수만 있다면 사랑도 할 수 있을 것이다. 그러나 도저히 잊을 수 없기에 암각화로 선명하게 각인되어 있다. 아픈 역사가 암각된 땅에서 꽃도 감미로운 노래를 하며 피어날 수 없다. 꽃무릇 마저 피울음을 토하며 아픔의 역사를 선연하게 각인시킨다. 그러나 꽃무릇은 피울음과 각인에 그치지 않는다. '친일과 반공의 불립문자'가 새겨진 '겨레의 암벽 밑에서' 혁명을 꿈꾼다. 이제 꽃무릇의 붉은 피울음은 혁명을 일으키고자 하는 의지로 나타나게 된다.

그대와 내가 달과 해와 같이
한 하늘에 엇갈리어 천 년을 기다려도
이별인 것은
아니 되오, 아니 되오
때로는 사무침에 낮달도 뜨거니와
해가 달을 뚫어지게 바라보면
달의 그리움 애가 녹아
그믐이 되 듯
그리하여 지구 뒤에 숨어 깜깜해지듯

숨 막히는 그 순간이 잠시이어라
꽃무릇 며칠을 허벌나게 붉은 것은
꽃과 잎이 은근히 만나고 있음이니
불갑산 동백나무 아래 올라온 그대는
하루라도 더 머물다 가면 안 되오
아니 되오. 아니 되오
한 낮의 낮달 같이
한 밤중의 월식 같이
내가 그대에게
먹먹하니 눈멀게 하려느니

- 「먹먹한 사랑의 끝」

　위 시는 잎과 꽃이 만날 수 없는 상사화가 함의한 불가능한 사랑을 해
와 달에 비유하고 있다. 해와 달이 천년을 기다려도 만날 수 없는 것처럼
아무리 노력해도 그대와 만날 수 없는 기구한 운명이라는 것을 시적주체
는 안다. 그렇다고 사랑을 포기하지 않는다. 단순히 눈에 보이는 현상만
으로 사랑을 끝내지 않는다. 그 이면에 웅크리고 있는 사랑의 진실을 보
고 존재 이유를 찾는다. 모든 것에는 이유가 있다. 그믐달은 왜 그믐달
인가. '달의 그리움 애가 녹아' 그믐이 된 것이다. 시적주체는 사랑의 간
절함과 사랑의 변함없음을 현상으로 읽는다. 꽃무릇이 '허벌나게 붉은
것'도 잎에 대한 사랑의 불타오름이니 이미 만남이 절정에 이르렀음을
말해주는 것이다. 사랑이 대상 없이 어떻게 타오르겠는가. 실제적으로 눈
빛과 눈빛을, 체온과 체온을 나눌 수는 없지만 더 강렬하게 온몸으로 활
활 타오르는 상사화는 열렬히 사랑을 나누고 있는 중이다. 그러니 눈부
시게 아름다울 수밖에 없다. 잠깐 나타났다 사라져서 '먹먹하니 눈'만
'멀게' 되는 사랑이 아닌 온전하게 그리워하며 정렬적인 사랑을 하겠다

는 것이다. 역사든 사람이든 자신은 희생하더라도 사랑하는 대상에게 바라는 바 없이 활활 타올라야 진정한 사랑이다.

> 독경에 조는 놈은 까치라 하였더니
> 금불도 여래상도 귀틀 뜬 용두 첨탑
> 삼천겁래 돌고 왔으니 어찌 눈이 가벼우리
> 그 경계 넘어서야 졸음도 아니 오고
> 일광당 서녘바람 탑루의 남방 서기
> 초롱이 눈을 뜨고서 법계 너머 보느니
> 비룡을 물어다가 네 귀에 앉혀놓고
> 봉황을 몰아서 경내에 가뒀다는
> 스님의 말씀 듣고서 수작이 대견 터라

– 「수작」

불갑사 대웅전에 〈수작화〉가 그려져 있다. 졸고 있는 까치를 그린 것인데 불갑사는 까치와 인연이 많은 절이다. 대웅전을 지을 당시 화사가 그림을 다 그릴 때까지 안을 보지 말라고 했으나 어떤 사람이 봤다. 그러자 화사는 까치가 되어 날아갔다.

불교에서 까치는 부처의 뜻을 전하는 행운을 상징한다. 보양寶壤이라는 사람이 절을 지으려고 북령에 올랐다. 까치가 쪼고 있는 땅을 파 보니 해묵은 벽돌이 나왔다. 이 벽돌로 절을 짓고 작갑사鵲岬寺라 하였다는 설화가 있다.

행운을 상징하는 까치가 불갑사에는 졸고 있는 그림으로 그려져 있다. 위 시에서 졸고 있는 까치는 그동안 '비룡을 물어다가 네 귀에 앉혀놓고' '봉황을 몰아서 경내에 가' 두는 등의 큰일을 했기 때문에 피곤했던 것이다. 시적주체는 처음에는 졸고 있는 까치의 겉모습만 보고 비웃었으나 졸 수 밖에 없었던 이유를 알고 난 뒤 대견해 한다. 이렇듯 세상일은 눈에 보이는 것만이 진실이 아니라는 것을 위 시는 말해주고 있다.

환경운동과 문화운동 등으로 활발하게 활동하고 있을 뿐만 아니라 조운 시인 생가 지킴이로 지역 문학 유산 보존에도 적극 참여하고 있는 장진기 시인이야말로 영광 지역에 행운을 주는 까치의 역할을 하고 있는 것이 아닐까. 때로는 졸고 있는 까치처럼 지칠 때도 있겠으나 장진기 시인이 지속적으로 문학을 통한 양질의 문화 확산과 환경운동 등을 전개해갈 것이다.

상실과 외로움의 미학

송태웅 시

나 너무 오래 살았을까
가을 햇살마저
너무도 오래된 추억
얼마나 간절한 기도를 올려야
소풍 전날 초등학생 시절의
설렘을 간직할 수 있을까
곧 서리 내리고
엄혹한 추위도 올 텐데
그 어디에서고
슬픈 눈빛 보이지 말고
산란을 위해
자신이 거슬러 온
강줄기를 타고
자신이 태어난
원양의 깊은 곳으로
헤엄쳐 가는 뱀장어들처럼
삶의 본능에 순응해야만
본능적 열정으로 타올라야만
소금쟁이와 무당벌레에 홀리던

어린 날들을 재생할 수 있으리
나 너무 오래 살았어도
만추에 내리쬐는 햇살에도
가늘게 눈 뜨고
푸르른 하늘의 극점
바라볼 수 있으리

- 「나 너무 오래 살았어도」 전문

성경이나 불경 등 경전에는 성인들도 어린아이처럼 순수한 마음으로
살기를 권한다.

그 때에 제자들이 예수께 나아와 이르되 천국에서는 누가 크니이까 예수께서
한 어린 아이를 불러 그들 가운데 세우시고 이르시되 진실로 너희에게 이르노니
너희가 돌이켜 어린 아이들과 같이 되지 아니하면 결단코 천국에 들어가지 못하
리라 그러므로 누구든지 이 어린 아이와 같이 자기를 낮추는 사람이 천국에서
큰 자니라 또 누구든지 내 이름으로 이런 어린 아이 하나를 영접하면 곧 나를
영접함이니

- 「마태복음」 18장 1-5절

「마태복음」 18장에는 '돌이켜 어린 아이들과 같이 되지 아니하면 결단
코 천국에 들어가지 못' 한다고 말한다. '어린 아이 하나를 영접하' 는 것
이 곧 하나님을 영접하는 것과 같' 고 천국에서 가장 큰 자도 어린아이라
고 말한다. 다소 낙관적으로 들릴지 모르나 동심은 곧 천심이다.

위 시 「나 너무 오래 살았어도」에서 시적주체는 어린 아이에서 너무 멀

리 온 자신을 발견한다. 다시 되돌아가기가 쉽지 않음을 알고 있는 시적 주체는 '얼마나 간절한 기도를 올려야' 만 어린 시절의 순수함으로 돌아갈 수 있을지 막막하다. '소풍 전날 초등학생 시절의 설렘을 간직할 수 있' 으면 얼마나 좋을까. 이제 세상 모든 일에 어린 시절 소풍 전날과 같은 순수한 호기심이나 두근거림이 없으니 삶은 무미건조하다.

순수한 호기심과 설렘은 인간이 인간으로서 행복할 수 있는 요건 중 하나다. 호기심과 설렘은 살아있음의 경이로움으로 심장을 두근거리게 한다. 세상에 관심을 가지고 이해하고 더불어 살아가기 위한 원동력이다. 이것은 욕망과 구분된다. 끊임없이 소유의 양을 계산하며 나아가려는 욕망의 부정적인 측면과는 다르게 타자나 상황 등에 대한 순수한 관심에서부터 시작하기 때문이다.

시적주체는 어린 아이 때의 순수함에서 멀어져 있기에 핍진함을 느낀다. 그리고 더 큰 추위가 올 것이라는 예감을 한다. 시적주체는 추위를 이겨낼 방법을 모색하는데 그것은 '자신이 거슬러 온' 곳으로 회귀하는 것이다. '돌이켜 어린 아이들과 같이 되' 어야 행복할 수 있다는 성경 구절처럼 '강줄기를 타고' 올라 '자신이 태어난' 진정한 고향인 '원양의 깊은 곳으로' 가려고 한다. 되돌아감이 단지 어린 시절 자체만을 그리워해서 그런 것이 아니다. 시적주체는 '산란을 위해' 되돌아가고 싶은 것이고 '푸르른 하늘의 극점' 을 바라보고 싶기 때문에 그렇다.

시적주체는 '소금쟁이와 무당벌레에 홀리던' 그 순수로 돌아가기 위한 구체적 방법으로 어린 날들을 재생하려한다. '삶의 본능에 순응하는 것' 과 '본능적 열정으로 타' 오르는 것이 바로 그것이다. 시적주체가 말하는 본능이라는 말 속에는 자유라는 말이 들어 있다. 순수해져야 걸림이 없는 자유를 누릴 수 있는 것이다.

시간은 누군가 일찍 잠들어 만든 고요의 무덤
더 이상 넘어가지 않는 책장의 볼모로 붙잡힌 생이
혀는 반쯤 굳어 목소리는 새의 울음소리로 만들고
미숫가루도 소금도 육포도 없이 산행에 나서
어느 날 약속한 듯 표정을 바꾸어 버린 풍경 앞에서
차라리 가벼워지니 비로소 생이 아늑해졌다고
막걸리 주전자 앞에서 쉰내 풍기며 말하는 사람
아내도 아이도 제 갈 길로 다 떠나버리고
폭염에 일찍 이파리 떨구는 벚나무 한 그루가 되어
오래 걸어와 지친 채 가루담배 한 개비 말아 피우네

- 「여름의 나날」 전문

「나 너무 오래 살았어도」에서 시적주체는 어린 아이에서 너무 멀리 온 자신을 발견하고 '삶의 본능에 순응하'고 '본능적 열정으로 타'오르기를 갈망했다. 요컨대 지나 버린 시간으로 회귀를 꿈 꾼 것이다. 위 시 「여름의 나날」에도 시간에 대한 성찰이 들어 있다. 시적주체에게 시간은 그저 생겨난 것이 아니다. '누군가 일찍 잠들어 만든 고요의 무덤'이 바로 시간이다. 타자가 비워준 시간이 살아 있는 것들이 누릴 수 있는 시간이니 그냥 흘러 보낼 수 없다.

그런데 시간에 대한 성찰에 이어 삶의 무게를 느낀다. 예전에는 있었으나 지금은 없는 것, 예전에는 중요했으나 지금은 오히려 없어서 더 가벼운 것에 대해 시적주체는 말하면서 현실의 생에 대한 자족을 노래한다. 다른 것들은 그렇게 비움으로서 채워지지만 비우려고 해도 잘 비워지지 않고 비우더라도 다른 것으로는 결코 채우기 쉽지 않은 것이 있다. 그것은 사람이다. '아내도 아이도 제 갈 길로 다 떠나버리고' 홀로 남겨진 시적주체는 '폭염에 일찍 이파리 떨구는 벚나무 한 그루'로 자신을 표현한다. 아직 나뭇잎을 떨굴 때가 아닌데 떨어져 버렸으니 그 가지는 어색하고 허전할 수 있다. 떠나보낼 시간이 아니었는지도 모른다. 때 아니게 여름 한낮을 혼자 오래 걷게 되었으니 '지친 채 가루담배 한 개비 말아 피'울 만큼 쓸쓸한 것이다. 그래서 '가벼워지니 비로소 생이 아늑해졌다'고 말하는 사람에게서 '쉰내'를 맡고 혀마저 반쯤 굳어 제 목청껏 노래하기에도 불편한 것이다.

배추밭에 배추들이
그녀의 창가에 드리운 망사 커튼처럼
하늘하늘해져서
배추밭에 상주하며
배추들의 혼을 빼놓는 손님들
얼굴들 좀 보고 있었는데
돌담 쪽 무성한 수풀 쪽에서
부스럭거리는 소리 들렸다
무엇일까, 누구일까
펭귄이 제 날던 때를
기억해 내는 속도로
고개를 돌려보았더니
고라니 한 마리!
사뿐 돌담을 뛰어 넘어와
나를 보고 있었다
그와 눈이 마주친 찰나
그가 놀랄까 봐
이젠 고래가 사막에 놀던 때를
기억해 내는 속도로
막걸리 한 병 내오려 움직이는데
그는 다시

사뿐 돌담을 뛰어 사라지고 말았다
그가 사라진 수풀 쪽을
그녀가 사려져간 골목 끝을 바라볼 때처럼
멍하니 바라보았다
내게 온 낯설고 반가운 손님
그렇게 보내고 말았다

- 「손님」 전문

쓸쓸함의 깊이 안에 외로움이 있다. 외로움 안에 '그녀'가 있다. 자기 안을 메우고 있는 외로움은 고요하고 지긋한 것이어서 때때로 먹먹하다. 이럴 경우 먹먹함은 밖의 세상에 대해서 관찰자의 입장이 될 가능성이 높다. 따라서 사물이나 움직임에 대해서 적극적으로 대응하기 보다는 반응과 대응이 느리다. 그럼에도 불구하고 그녀에 대한 기억에 휩싸여 있기에 관찰되는 모든 것들은 그녀와 연상 작용을 일으킨다.

배추밭의 배추를 바라봐도 그냥 배추로 보이지 않는다. '그녀의 창가에 드리운 망사 커튼처럼' 보인다. 마음속에 그리는 사람이 있을 때는 모든 것이 그 사람과 연결이 되는 법이다. 어떻게 배추가 그녀의 커튼이 되는가. 어떻게 그녀의 마음을 얻을 수 있을까? 그녀를 향해 어떻게 다시 나아갈까? 이런 막연한 생각들 속에서 '배추들의 혼을 빼놓는 손님들' '얼굴들 좀 보고 있'을 뿐이다. 여기서도 시적주체는 상상하는 관찰자로 존재한다.

그 때 돌담 쪽 무성한 수풀 쪽에서 '부스럭거리는 소리'를 듣게 된다. 고요와 함께 있는 시적주체는 감각적 현상들에 대해 민감하다. 시적주체는 '무엇일까, 누구일까'를 생각한다. 그러나 그것을 알려고 고개를 돌리는 속도를 보라. '펭귄이 제 날던 때를 기억해 내는 속도'로 언제 누구인지 확인하겠는가. 그를 알아차리고 빨리 대응하려는 의지가 소극적이다. 날지 못하는 펭귄의 내력을 겨우 기억해냈을 법한 때 '고라니 한 마리'를 발견하게 되고 그 고라니의 행동을 살핀다. '사뿐 돌담을 뛰어 넘어와' 시적주체를 바라보는 고라니와 눈이 마주치게 된다. 자신이 놀란 것처럼 고라니도 놀라고 긴장해 있을 것이라는 것을 시적주체는 안다.

외로운 둥지 안으로 들어선 생명체 고라니를 받아들이는 자세 또한 소극적이고 조심스럽다. 고라니가 놀랄까 봐 '고래가 사막에 놀던 때를/기억해 내는 속도로' 대접할 막걸리를 가지러 가려고 한다. 행동 실행을 하기도 전에 고라니 그는 사라지고 만다. 여기에서도 시적주체가 취하는 태도는 소극적이다. '그가 사라진 수풀 쪽을' '멍하니 바라볼' 뿐이다. '그녀가 사라져간 골목 끝을 바라볼 때처럼' 처럼 말이다.

시적주체가 세상에 대해 취하는 대응은 주로 관찰자의 입장이고 소극적이고 조심스럽다. 그녀도 그도 시적주체로부터 사라졌기에 아쉬움이 남는다. 시적주체는 자신의 외로움을 건너 타자에게 나아갈 방법을 모를 뿐이다. 짊어진 외로움의 무게 때문일까. 타자에 대한 대응 속도가 느릴 뿐 사실 시적주체는 타자를 받아들이고 반기고 함께 막걸리 한 잔 하고 싶은 것이 진심이다. 그러니 '내게 온 낯설고 반가운 손님'을 '그렇게 보내고 말았'던 아쉬움이 남는 것은 당연하다. 아무튼 그녀와 중첩된 그는 잠시 나타났던 '손님'이었을 뿐이다. 또한 시적주체 자신도 자신의 진심을 손님처럼 대하고 있는지도 모를 일이다.

어느 날 그대의 마음이
가죽지갑처럼 닫혀 있을 때
어둠은 감옥의 담장 안에서

까치발로 서 있었다
그대의 얼굴은 달빛 희미해져서
윤곽 없이 허물어지고
저녁 굶고 잠든 날
새벽 허기 못 견디고 깨어나
식은 밥 한 덩이
국에 말아 허겁지겁 먹다가
불현 듯 그대 얼굴 떠올라
마당에 홀로 선 동백나무 바라보네
나는 모래의 둥지에서 벗어나
생애 처음으로 파도에 몸 맡긴
새끼 거북이 한 마리
난바다의 몸냄새를 향하여
칠흑 심해를 헤엄쳐가네
내 천성 게을러서
그대의 자장에서 벗어나지 못하는가
게을러서 그대 더 그리워지는가
내 오장육부와 온몸의 핏줄들은
낡은 집 천장의 푸른 애자
그리워 그리워하다
핏줄 속으로 전류가 흘러
알전구 하나 불 밝히네

− 「마당에 홀로 선 동백나무」

타인의 마음을 열고 닫는 일은 마음대로 되는 일이 아니다. 이 시의 시
적주체는 이미 닫혀버린 '그대'라는 대상에 대한 그리움과 외로움 안에
갇혀있다. 외로움 안에서 그대를 향한 그리움으로 허기진 시적주체가 있
다. 그대의 마음이 '가죽지갑처럼 닫혀 있을 때'는 세상 전체가 어두워진

다. 사랑하는 사람은 인생을 밝혀주는 빛과 같은 존재다. 시적주체는 상실의 캄캄한 마음을 '감옥의 담장' 안에 갇혀 있다고 표현한다. 캄캄함 안에 그대를 향한 사랑의 마음이 아직도 간절하기에 감옥 안에서 '까치발로 서 있'다. 보이지 않는 마음의 담장 밖으로 그대를 보기 위해 까치발로 서보지만 정작 그대 얼굴은 희미한 달빛처럼 희미해지고 '윤곽 없이 허물어지고'만다.

시적주체가 그대를 상실하여 캄캄한 마음에 처해있음에도 불구하고 자연은 순환한다. 새벽이 오고 있는 것이다. 시적주체는 삶의 허기를 잠시 느낀다. 사랑의 대상이 곁에 없다는 허전함을 대신할 것은 없다. 그녀 마음이 깃들지 않은 것으로 허기를 채울 수 없지만 살아야 하기에 '식은 밥 한 덩이'를 허겁지겁 먹는다. 그렇다고 그녀를 잊을 수 없다. '불현 듯 그대 얼굴 떠'오르는 것을 어쩔 수가 없는 것이다.

그대를 찾고 싶은 마음과 어떻게든 그대를 만나고 싶은 마음은 그대를 상징할 수 있는 대상을 찾는다. 그것은 '마당에 홀로 선 동백나무'다. 그대를 향한 몸짓이 서툴러서 그대에게 닿지 못했던 것을 인식한 시적주체는 '모래의 둥지에서 벗어나/생애 처음으로 파도에 몸'을 맡기고 '난바다의 몸냄새를 향하여 칠흑 심해를 헤엄쳐가'는 '새끼 거북이 한 마리'에 자신을 비긴다. 세상일에 아직 여리고도 서툰 새끼 거북이처럼 그대에 대한 서툰 사랑으로 인해 그대가 마음을 닫아버렸던 것이다.

마음을 닫아버린 그대를 시적주체는 결코 잊지 못한다. 그대를 향했던 마음에서 벗어나지 못하는 마음을 '천성 게을러서' 그리움에서 못 벗어난다고 변명도 해본다. '오장육부와 온몸의 핏줄들'은 그대의 자장을 못 벗어나고 자꾸 그대를 향해 나아간다. 그리고 깨닫는다. 그대를 사랑하는 자체만으로도 아름다운 꽃이라는 것을 알게 된다. 이제 어둠의 감옥에서 발뒤꿈치를 들고 그리워하던 캄캄한 마음이 승화된다. 핏줄 속으로 흐르는 사랑의 전류를 그대로 받아들이고 '알전구 하나 불 밝'히게 된다. 사랑의 대상이 마음을 열건 닫건 사랑의 감정은 캄캄한 밤 환하게 불 켜진 하나의 알전구처럼 신성하다. 사랑하는 존재가 있다는 것은 마당에 붉은 동백 한그루 키우는 것이다. 사랑하는 대상의 실재적 부재에도 불구하고 동백꽃이 피기 때문에 캄캄한 마음은 환해지는 것이다.

초상집에서 눈 뜬 새벽
풀섶에 잠든 새 한 마리 보았다

사람들이 고개 들어 하늘을 본다면
새들은 날개 접고 땅 디딜 날 꿈꾸리

제 젖 물려준 땅 나무 위
제 젖 물려준 어미의 냄새 그리워하리

이슬 덮고 누운 새의 주검은
어쩌면 벚나무의 낙화와 같은 것

심해에 가라앉은 사람들도 문득 눈 떠
칠흑 어둠 속에서 자신의 신발 찾을 텐데

풀섶에 누운 새처럼 누울 수 있을까
우리, 일찍 일 나가는 농부의 눈에 띌 수 있을까

다 보았으면서 아무도 보지 않은 체하는
이 세상으로부터 멀리 떠나

너무 많이 울어버린 어미의 눈물 닦아주러
포르릉 날아 이 땅 위로 돌아올 수 있을까

– 「초상집에서 눈뜬 새벽」

죽음은 삶 안에 있다. 삶 안에서 또 다른 탄생이 있고 또 다른 죽음이 있다. 결코 모두 채워지지 않는 것을 끊임없이 욕망하다가 죽는 인간은 장례식에서마저도 욕망을 드러낸다. 고대로부터 부와 권력을 가진 자들은 무덤까지 욕망으로 채우고 거대한 무덤을 조성하느라 산 사람을 생매장시키고 희생시켰다. 이 땅에서 사라지면 또 다른 곳에서 다시 권력을 행사하며 살 것이라는 바람 때문이었다. 영생의 욕망으로 사후 세계를 설정하고 사후세계에 가져갈 돈과 물건까지 챙기기도 했다.

삶과 죽음에 대한 이러한 인간의 욕망은 요즘의 장례식에도 다 사라진 것은 아니다. 장례가 많이 간소화되는 시류가 있기는 하다. 봉분보다는 화장을 한다든가 수목장 등을 하기도 하지만 장례의 풍속도는 긍정적이지만은 않다. 인간을 제외한 모든 자연은 죽음을 포장하지 않는다. 그저 자연 속에서 육체는 해체되고 진정 자연과 한 몸이 된다.

시적주체는 이른 새벽 초상집에서 잠을 깬다. 그리고 '풀섶에 잠든 새'의 죽음을 목격한다. 시적주체는 땅에 누워있는 새의 주검을 너무나 자연스럽다고 느낀다. 누워 있는 새는 마치 '벚나무의 낙화와 같'이 부드럽고 자연스러우며 평화롭다.

시적주체는 불교적 윤회사상으로 죽음을 바라본다. 불가에서는 업장을 완전히 소멸하고 열반에 들지 않는 이상 다시 새로운 몸으로 환생한다고 생각한다. 윤회는 인간에게 새로운 삶에 대한 희망을 주기도 하지만 어떤 모습으로 태어나는가에 따라 삶의 질이 달라지기 때문에 무엇으로 어떤 환경에 태어날 것인가를 꿈꾼다. 불가에는 현세의 족적에 의해 다음 생이 결정된다고 본다.

인간의 염원은 캄캄한 죽음의 '심해에 가라앉'았다 할지라도 죽기 전 벗어두었던 자신의 족적과 '자신의 신발'을 찾고 싶어 한다. 시적주체는 자신의 죽음을 가정하면서 이생에서 가장 큰 업이 무엇인가를 생각한다. 그것은 어머니다. 시적주체를 이 세상에서 낳아준 어머니, 젖 물려 키워준 어머니, 그런 어머니 젖 냄새를 그리워한다. 어머니를 그리워하는 것은 근원을 그리워하는 것이다. 결국 땅에서 태어난 것들은 땅을 그리워하고 어머니 품 같은 땅으로 돌아가 안기는 것이 마땅한 것인지도 모른다.

시적주체는 죽음 이후 이 땅으로 다시 돌아오고 싶은 이유가 어머니에게 있다. 이생에서 시적주체는 어머니에게 너무 많은 눈물을 안겨준 것이다. 근본적으로 어머니는 자식을 위해 우는 운명을 타고 난 사람들인지도 모른다. 어머니의 마음이 근본적으로 그렇다 할지라도 시적주체는 어머니에게 편안함을 주지 못하고 어머니에게 흡족한 삶을 살 수 있게 해드리지 못한 것에 대한 죄스러움을 가지고 있다. 그렇기에 사랑스러운 모습으로 후생에서 어머니에게 다시 나타나고 싶다. '다 보았으면서 아무도 보지 않은 체하는 이 세상' 으로부터 떠났다가 다시 맑은 모습으로 생명의 근원인 어머니를 찾아오고 싶은 것이다. '포르릉 날아 이 땅 위로 돌아' 와서 시적주체로 인해 '너무 많이 울어버린 어미의 눈물 닦아주러' 오고 싶은 것이다.

송태웅의 시에서는 이별과 상실이 드러난다. 송태웅의 시는 이별과 상실에 따르는 외로움을 소극적이나마 극복하려는 의지도 드러난다. 뿐만 아니라 나이 듦과 죽음에 대한 성찰이 드러난다. 더불어 세계에 대해서는 생태적인 이치를 관조하고 있다.

들판의 산책자

김황흠 시

김황흠 시인의 시는 농촌 풍경과 자연을 잔잔하게 바라보고 성찰하는 시선이 돋보인다. 시를 쓴다는 것은 풍경을 만드는 일이다. 관념조차도 이미지로 표현하는 것이 시다. 김황흠의 시에는 농촌을 배경으로 한 순수 서정의 시세계가 회화적으로 다가온다.

된서리 끼친 들녘이 은빛으로 물들어 있다
길턱은 마르고 오그라든 풀은 서리를 껴입고
모진 새벽바람을 맞는다
오늘도 일찍 낚시하러 온 사람
낚시보다는 다른 무엇이 아쉬운지
수면을 물들이는 아침 해를
묵묵히 바라본다
일렁거리는 물살만 서두르지 않고
급하게 갈 일없어 쑥덕쑥덕
강여울은 속닥거림으로 물든다
먼 길을 날아 온 새떼
왝, 왝, 왝 질러대는

물억새 흔들거리는 드들강변
두툼하게 입고 꼬부장 앉은 낚시꾼 등에도
노릇노릇한 노루꼬리 햇살이 물든다

- 「아침, 강어귀 풍경화」 전문

위 시의 시적주체는 이른 새벽길을 산책하며 눈앞에 전개되는 풍경들을 잔잔하면서도 감각적인 시선으로 그려낸다. '된서리 끼친 들녘', '먼 길을 날아온 새떼', '물억새' 등으로 보아 시간적 배경은 늦가을이다. 더 세밀하게는 '모진 새벽바람을 맞는'다는 것과 '수면을 물들이는 아침 해' '노릇노릇한 노루꼬리 햇살' 등으로 봐서 초겨울 새벽에서 아침까지를 산책자적 시선으로 풍경을 묘사한다.

아침 강어귀의 풍경을 바라보는 시적주체는 있는 그대로를 바라보고 풍경을 이해하려고 한다. 그 시선에는 생태적이고 긍정의 미학이 들어있다. 들녘에는 '된서리 끼'쳐 있고 길턱에는 '마르고 오그라든 풀'이 '서리를 껴입고' 있다. 이것들이 '모진 새벽바람'까지 맞는다고 할지라도 아침 풍경은 '은빛으로 물'들어 빛난다. 소멸한 것들이 받아들인 겨울의 옷은 냉철하면서도 아름답다.

변함없이 새벽에서 아침이 오듯, 가을에서 겨울이 오듯 그렇게 시적주체는 눈에 보이는 풍경을 받아들인다. 어제와 변함없이 '오늘도 일찍 낚시하러 온 사람'이 강가에 앉아 있다. 낚시꾼은 고기를 잡는 것에 열중하는 것이 아니라 낚시라는 행위를 통해 자연을 보고 자신을 본다. 무엇인지 모르게 '아쉬움을 가진' 것처럼 보이는 낚시꾼은 새벽에서 아침이 오는 풍광 즉 어두웠던 '수면을 물들이는 아침 해를 묵묵히 바라' 보는 데 집중해있다. '일렁거리는 물살'은 낚시꾼이 그 묵묵함을 견디도록 '서두르지 않고' 흐르며 '강여울은 속닥거림'으로 함께 물든다. 이로써 하나의 둥근 풍경이 형성된다. 나와 낚시꾼과 강물이 하나가 되어 서로 바라봐주고 비춰주는 것이다.

이런 순간에 언어가 무슨 필요가 있겠는가. 모든 사물들은 어우러져 하나의 풍경 안에 있다. 이 풍경 안에서 '먼 길을 날아 온 새떼'가 '왝, 왝, 왝' 소리 지르며 겨울을 함께 지낼 둥근 세계를 노래한다. 여기에 '물억새'가 '흔들' 거리며 드들강변의 모든 것들을 쓰다듬는다. 인간과 자연이 조화롭게 어우러지는 강변에서는 평화가 깃들여있다. 무엇인지 '아쉬워서' 찾아와선 낚싯대를 드리웠던 낚시꾼에게도 '노릇노릇한 노루꼬리 햇살이 물' 드는 것은 아침 강어귀 풍경의 묘미이고 따스함이고 평안함이다.

쏟아지는 소낙비를 피할 생각은 않고
논둑에 서서 비를 맞는다
들이닥쳤다가 물러가는 비구름 사이로
뜨거운 햇살이 내리꽂고
논물은 논배미를 따라 울렁거리고
늦모는 바람에 무리지어 흔들흔들
물방개, 소금쟁이, 드렁허리, 미꾸라지
무논 바닥을 흔들어 물 파동을 그린다
망초 꽃들도 벙긋벙긋
한낮이 환하다
강아지풀 우거진 농로 한가운데를
걸어가는 백로 한 쌍
날개를 펴들다 접고
살짝살짝 밟고 가는
어둠이 쉬이 오지 않는 길을
왜가리 한 마리 덧붙어 따라간다

– 「하지」

「아침, 강어귀 풍경화」와 마찬가지로 위 시 「하지」에서도 산책자인 시적주체가 등장한다. 산책자로서의 시적주체가 사물을 대하는 태도는 그대로 수긍하고 받아들이는 것이다. 그래서 '쏟아지는 소낙비를 피할 생각은 않'는다. 자신이 서 있는 농부 그대로의 모습으로 '논둑에 서서 비를 맞'고 있다. 그 비는 곧 그칠 것이고 또 다시 하지의 '뜨거운 햇살이 내리꽂'힐 것이기 때문이다.

젖든 뜨겁든 시적주체는 산책자적 시선으로 주위를 둘러본다. 아름다운 풍경을 바라보는 시선은 정답다. 각각의 사물들은 서로 어우러져 흥겨운 풍경을 만들어낸다. 논물이 '논배미를 따라 울렁거리'는 동안 '늦모는 바람에 무리지어 흔들흔들' 춤을 춘다. '물방개, 소금쟁이, 드렁허리, 미꾸라지'들도 즐겁게 하지의 풍경을 만든다. '무논 바닥을 흔들'고 '물 파동을 그'리면서 어우러진다. 논가의 '망초꽃들도 벙긋벙긋' 웃으니 쏟아지는 소낙비를 잠시 맞았던들 어찌 하지의 '한낮이 환하'지 않을 수 있겠는가. 자연과 인간이 환하게 어우러지는 생태적인 세상에 어둠인들 쉽게 오겠는가. 잔잔하게 '강아지풀 우거진 농로 한가운데' 어찌 백로인들 왜가리인들 눈부신 하얀 날개로 날아들지 않겠는가.

며칠 내린 비에 빨갛게 물든 나뭇잎
씻어내는 소리가 고요하다
드들강 물소리도 가만가만
속삭임도 고만고만
여울목에서 살그머니
철벅이는 소리도 조심조심
계절은 닳아지는 것이 아니라 덜어내는 것인지
이파리는 하나 둘 호명 없이도 스스로 떠난다
붉은 흙에 물들어버리는 생은

조금씩 움직여 가고
베어져 나란히 누운 짚 위로 바람도 지나가고
제 철을 알아 오는 기러기 소리
비 쓸쓸히 내리는 강변
처음으로 발자국을 찍는다

－「만추晩秋」전문

가을은 채우고 비우는 계절이다. 뜨겁던 계절을 견딘 것들이 열매를 맺고 열매를 수확한 후에는 모든 것을 비운다. 자연은 이렇게 치닫던 욕망을 멈출 줄 아는 오묘한 힘을 가지고 있다. 열매 맺고 물들었던 자신의 화려함을 덜어내는데 연연해하지 않는다. '빨갛게 물든 나뭇잎'이 불타오르던 아름다움과 마음을 '씻어내는 소리가 고요'한 것은 순리대로 살기 때문이다. 위 시는 그런 삶을 잔잔하게 보여준다.

나무만 그런 것이 아니다. 물 또한 물의 모습으로 자연의 순리를 따른다. 장마나 한여름 소낙비에 철썩이던 '드들강 물소리도 가만가만' 가을 풍경과 어우러진다. 왜냐하면 '닳아지는 것이 아니라 덜어내는 것'이기 때문이다. 그래서 가을에는 물마저 겸손히 자신을 더 낮추며 흐르는 것이다. 비워내는 방식은 고요하고 겸손하다. '이파리는 하나 둘 호명 없이도 스스로 떠난다'.

이름을 알리지 못해서 안달인 세상에서 이름 없이 스스로 자연에 순응하며 떨어지는 나뭇잎은 역사 속에서 스스로 희생했던 민중을 떠올리게 한다. 욕망과 야욕들로 일그러진 자들이 지독한 권력을 휘두를 때 스스로 희생하며 저항한 많은 민중이 있었기에 지금 정도의 민주주의라도 이룬 것이다. 희생으로 '붉은 흙에 물들어버리는 생'일지라도 민중은 뭉치고 서로 위로했고 함께 어우러졌고 '나란히 누운 짚' 처럼 함께 기대어 아름답게 소멸했다.

타인과 역사를 위한 희생이 아무리 고귀하다고 할지라도 소멸은 쓸쓸하다. '제 철을 알아 오는 기러기 소리'가 아무리 반가워도 강변에 내리는 가을비는 쓸쓸한 법이다. 시적주체는 그러나 쓸쓸함에 완전히 가라앉지는 않는다. 봄을 기약하는 마음은 시적주체에게 '처음으로 발자국을 찍'게 한다. 겨울이 지나고 봄이 오듯 비워진 후에는 다시 희망의 씨앗이 첫걸음을 내딛는 것이 자연의 이치이기 때문이다.

쌀쌀한 바람에 짧은 옷을 걸쳐 입은 몸이 움찔한다
아직껏 여름을 껴입고 살았다
시간이 흐른 것을 모르고 홀로
이 여름을 지나왔구나
기억은 사월 십육일 물이 차가운 그쯤에서 멎어
돌아오지 못한 별들을 기다리는데
그 시간을 그냥 꽉꽉 묶어두고 살 줄 알았는데
차가운 바람이 스며드는 가을이 오고야 말았구나
삼백 사명의 원혼이 출렁거리는 나라
위로를 해주지 못하고 묻고 가려고 발버둥이 치는 나라
아파하고 다독여주며 손 잡아주는 사람들을
싸잡아 들보잡이 하는 이념꾼들과
애써 외면하려는 사람들 틈바구니에서
그래도 잊지말아야하는 것이라고
가슴을 노랗게 물들이는구나
샛노란 은행나무 잎
잎들이 노랗게 흩날리는구나

– 「은행나무 아래서」 전문

인간의 욕망으로 인해 침몰했던 세월호는 이익을 위해서 생명의 안전을 고려하지 않은 잔인한 인간성의 단면을 보여주었다. 무고한 생명이 죽어가는 것을 보는 것은 고통이고 슬픔이다. 온 국민을 두려움과 슬픔 속에 잠 못 이루게 했던 세월호 침몰 사건은 전 국민에게 큰 트라우마로 남았다. 위 시 「은행나무 아래서」는 세월호 사건 이후 살아있는 자들의 자세가 어떠해야 하는지를 보여준다.

위 시의 시적주체는 봄에서 여름으로 여름에서 가을로 접어들어도 사월 십육 일의 상처에서 벗어나지 못한다. '쌀쌀한 바람'이 부는데도 봄날의 충격에서 벗어나지 못하고 봄에 머물러있다. 시적주체는 세찬 찬바람의 냉기로 몸이 '움찔'거려질 때서야 아직도 짧은 옷을 입고 있는 자신을 발견한다. 시적주체가 사월 십육 일에 멈춰 있는 이유는 진상규명을 해서 사월 십육 일의 진실을 밝혀야한다는 것과 '돌아오지 못한 별들을 기다리'고 있기 때문이다.

인간은 망각의 동물이기 때문에 시간이 지나면 생리적으로 기억했던 사건을 잊기도 한다. 양심적인 시적주체는 가을이 와서 몸이 떨릴 정도로 추위를 느끼는 자신을 부끄러워한다. 시적주체는 봄날 대책 없이 바다에 가라앉았던 세월호 문제가 아직 해결되지 않았는데 그 사건을 잊고 자기 몸 하나 춥다고 떠는 것이 부끄럽고 사치스럽다고 여긴다.

세월호를 잊어가던 시적주체에게 다시 일깨움을 주는 것은 자연물이다. 세월호와 함께 가라앉았던 생명들이 돌아오기를 염원하던 민중들은 노란리본을 달고 거리로 나와 세월호를 인양하라고 외쳤다. 한국에서 노란색은 민중의 염원을 상징하는 색이 되었다. 시적주체는 '그 시간을 그냥 꽉꽉 묶어두고 살줄 알았'어도 몸이 느끼는 추위를 부끄러워 하다가 노랗게 물든 은행나무를 보고 '그래도 잊지말아야하는 것이라고' 다시 마음을 다잡는다. '가슴을 노랗게 물들이는' '샛노란 은행나무 잎'의 흩날림은 희망이 흩날리는 것이다. 시적주체는 그 은행잎을 사람들 가슴에 하나씩 달아주고 싶은 심정이다.

> 형님 부탁에 어머니께서 술을 담갔다
> 쌀을 물에 불리고 채에 걸어 두었다가 큰 찜통에 찐 고두밥을
> 누룩과 섞어 독아지에 안치고
> 생수를 넣어두고 닫는지 사나흘
> 그릇에 한 잔 담아 오신 것을 마신다
> 젊은 시절 아버지는 시골에서
> 사업하며 동네 친구란 친구를 다 긁어모아
> 연거푸 마셨다는 독한 술내가
> 모락모락 올라 화끈거린다
> 그 시절 아버지 연세를 지나 이순에 이르러
> 팔순을 바라보는 어머니 연륜이 스민 한 잔
> 감사하다는 말 흔하게 내뱉지 못하고
> 넙죽넙죽 마신다

– 「모주母酒」 전문

김황흠 시에 나타나는 자연과 인간과의 관계는 소통이고 평화다. 자연은 희망과 연대를 상징하는 매개로 사용되었다. 위 시에서는 사람과의 관계, 그 중에서도 가족 간의 인간미를 보여준다. 가족은 가장 작은 사회 단위지만 사회를 구성하는데 있어 가장 중요한 공동체다. 가정생활에서 도덕과 인내 등 인간으로 살아가는 기본 덕목을 배우고 문제 해결력도 키우기 때문이다.

정체성은 20대 이전에 거의 형성되는데 이 시기에 주로 가정생활을 하

므로 정체성 형성의 측면에서도 중요하다. 더구나 가족 안에서 조건 없는 사랑을 주고받기 때문에 진정한 사랑이 무엇인가를 배우는 곳이다. 어머니의 사랑은 낳고 젖을 먹이는 과정 속에서 체온으로도 전달된다. 가부장적 사회 속에서 어머니는 가족을 위해 희생하는 존재였기도 했다.

시적주체는 형님이 부탁해서긴 하지만 어머니가 담근 모주를 마시면서 아버지를 떠올린다. 아버지는 젊은 시절 친구를 모아다가 독한 술내가 나도록 연거푸 술을 마셨는데 그 추억은 화자에게 부끄러움으로 남아 '화끈거린다.' 그 때 아버지 나이를 넘긴 시적주체가 팔순 어머니가 주는 모주를 받아 마시면서 모주를 통해 가족사를 읽어낸다.

어머니가 애써 담근 술을 시골 사업가 아버지는 친구들에게 뽐내며 마실 줄만 알았지 어머니에 대한 고마움을 표현하지 않았던 것이다. 그런 아버지가 화끈거릴 정도로 부끄럽지만 본인 또한 어머니께 감사하다는 말을 전하지 못하고 주는 대로 받아 '넙죽넙죽' 마신다. 위 시는 가부장적인 가정에서 아버지와 어머니의 관계, 어머니와 자식의 관계를 보여주고 있다. 아들인 시적주체는 어머니의 사랑이 담긴 모주母酒를 그저 말 없이 받아 마시면서 이제 나이가 많이 든 어머니의 세월과 아버지가 돌아가셨을 때 나이를 넘긴 자신의 모습을 보면서 표현은 못 하고 감사하는 마음을 삭이고 있다. 바람이 없이 베풀어 주는 대지모같은 어머니 사랑에 고마움을 표현하는 것이 생태적 삶임을 이 시는 역설적으로 보여주고 있다. 모주는 가부장적 사회에서 살면서 베풀었던 어머니의 사랑을 상징한다.

나눔과 베풂의 미학

양기창 시

철근쟁이 김시인詩人이 일하다 다쳤다
이 오월에 멀리서 바라보는
내가 다 아프다
김시인이 아프다면서 이렇게 말했다

– 아까시꽃 찔레꽃 이팝나무꽃 핀다
– 흰꽃 피는 아픈 오월 가슴이 많이 아프다
– 붉은 꽃빛으로 견디며 산다

평소 김시인을 볼 때마다 드는 생각이 있었다
고행苦行하는 석가釋迦를 닮았다
가끔 염화미소拈華微笑하는 것도 닮았다
김시인은 부처머리도 닮았다

석가탄신일에 핀다는 불두화佛頭花가
김시인의 머리에서
하얗게 아프게 피어나고 있다
흰꽃 피는 아픈 오월에

– 「오월」 전문

위 시의 시적주체는 1980년에 있었던 광주 5.18 민주화운동의 아픔과 그 아픔을 공감하고 아파하는 '철근쟁이 김시인詩人'을 통해 시대의 아픔을 전한다. 5.18 민주화운동을 진정으로 아파하던 김시인이 '일하다 다' 치게 된다. 시적주체는 오월에 다친 김시인을 5.18 민주화운동의 상처와 동일선상에 놓고 본인마저 아파한다. 결국 역사의 아픔은 모든 사람의 아픔으로 확대된다. '이 오월에 멀리서 바라보는 내가 다 아프다'라고 말하는 시적주체의 마음에는 나와 네가 결코 둘이 아니라 하나라는 생태 공동체 의식이 담겨 있다.

오월에는 유난히 흰 꽃이 많이 핀다. 죽은 영혼을 위해 하얀 국화꽃을 바치는 전통은 구한말 정도지만 우리의 인식 속에는 죽음과 흰꽃 이미지는 중첩되어 있을 정도로 흰색은 죽음과 가깝게 느껴진다. 천지를 덮은 '아까시꽃 찔레꽃 이팝나무꽃' 등 '흰꽃 피는 아픈 오월'은 우리를 더욱 가슴 아프게 한다.

역사의 아픔을 아는 듯 흰꽃이 많이 피어 더 슬픈 김시인은 '붉은 꽃 빛으로 견디며' 산다. 김시인이 위로를 받는다는 붉은 꽃은 이 시에서 새 생명을 상징한다. 오월에 피는 붉은 꽃인 큰앵초, 철쭉, 자란, 엉겅퀴 등의 불타는 듯한 붉은 생명력은 민주주의를 앞당기는 횃불 같은 염원이라고도 볼 수 있다. 전 세계 모든 나라에서는 무명용사 묘에 붉은 꽃을 바친다. 붉은 꽃은 용사들이 흘린 붉은 피를 '기억하고 있음의 징표'이다. 김시인이 오월에 붉은 꽃으로 위로 삼는 것은 의미심장하다. 5.18로 무고하게 희생되었지만 민주화를 앞당긴 용사들을 우리는 기억해야한다는 의미이기 때문이다. 또한 붉은 꽃의 생명력으로 민주주의를 하루 속히 이루어야한다는 염원이기도 하다.

그런 김시인을 도인으로 여길 만도 하다. 시적주체는 김시인을 '고행

苦行하는 석가釋迦’에 비유한다. 깨달음은 멀리 있는 것이 아니다. 가르치거나 설명하고 이해시키려는 것이 아니라 꽃 한 송이 들고 미소만 지어도 전해지는 것이다. 석가처럼 꽃으로 생명력을 전하는 김시인은 부처가 ‘염화미소拈華微笑’로 깨달음을 준 것과 별반 다르지 않다고 시적주체는 느낀다.

그런 깨달음을 주는 김시인은 석가탄신일에 핀다는 불두화佛頭花’처럼 성스럽기도 하다. 시인의 머리에서 ‘하얗게 아프게 피어나’는 세월의 흔적을 보는 시적화자의 애틋한 시선은 ‘꽃 피는 아픈 오월’의 이미지와 중첩된다. 흰색 불두화와 하얀 머리카락 김시인, 그리고 오월의 흰꽃 등 흰색 이미지는 석가 머리를 상징하는 불두화와 함께 흰빛을 성스러움의 경지에 다다르게 한다. 석가나 예수나 세상의 평화를 위해 법을 설하였지만 그들의 삶은 십자가를 짊어져야했다. 성인들이 십자가를 졌기 때문에 사람들은 평화롭게 더불어 사는 방법들을 깊이 있게 생각하다가 종교로 승화된 것이다.

그 성스러움은 오월에 희생된 영혼까지 연결된다. 5.18민주화운동 때 희생된 사람들에 의해 민주화가 앞당겨졌으니 그들의 죽음을 이제 성스럽게 바라볼 수도 있지 않은가. 5.18민주화운동의 고통을 그대로 느끼며 아파하는 김시인이나 그 김시인을 보고 함께 아파하는 시적주체나 모두 이 시대를 변화시킬 수 있는 붉은 꽃과 같은 생명이고 희망이다.

한여름 밤 내 마음을
온통 흔들어놓은 꽃이 있었지
격정적激情的이지 않지만
더욱 달이 차오르기를
조용히 기다리는 꽃이 있었지

지리한 장마가 끝나고

백아산 가는 길에는

거센 폭풍우 뒤

이젠 야산野山의 미풍微風만 남아

더욱 애잔하게 내 마음을

온통 흔들어놓은 꽃이 있었지

밤이면 마당바위에 모여드는

불꽃속살의 노오란

수천의 꽃이 있었지

그렇게

달이 차오르기를 기다리고 있었지

격정적이지 않지만

더욱 격정적으로

– 「달맞이꽃」 전문

모든 존재는 귀하다. 각각의 모습으로 각각의 존재의미를 지니고 있다. 위 시 「달맞이꽃」에서는 한 존재가 다른 존재에게 어떤 의미로 다가갔는 지를 보여준다. 시적주체에게 달맞이꽃은 잔잔하게 기다려주는 존재이며 결정적인 순간에는 격정적으로 사랑할 줄 아는 존재이다.

시적주체에게 달맞이꽃은 '한여름 밤 내 마음을 온통 흔들어놓'을 정 도 의미 있는 꽃이 될 수밖에 없는 이유가 있다. 달맞이꽃이 출현하는 장 소와 시간 등이 특수한 상황 안에 있다는 점에서 더해진다. 오랜 장마는 바깥 활동에 제한을 받기 때문에 사람을 우울하게 만들기도 한다. 장마 처럼 지루함과 우울함을 견뎌야하는 날이 인생에서 불현듯 찾아오기도 한다. '지리한 장마가 끝' 나자 시적주체는 백아산에 가서 달맞이꽃을 본 다. 노랗고 환한 빛깔로 피어 시적주체를 맞이해주는 달맞이꽃을 보는 시적주체 마음은 달맞이꽃처럼 환해진다.

인생길에서 때로는 거센 폭풍우 같은 난관을 만날 수도 있다. 몸을 가눌 수 없을 정도로 힘든 상황과 싸워서 이겨낸 뒤 지친 심신은 안식도 필요하다. '거센 폭풍우 뒤'의 안식과 함께 허탈 등 여러 부정적인 감정이 생기기도 한다. 부정적인 감정이 '야산野山의 미풍微風'으로 남아있을 때 달맞이꽃은 함께 흔들거리며 상처를 쓰다듬는다. 그러니 시적주체는 달맞이꽃을 '더욱 애잔하게' 받아들이고 달맞이꽃에게 마음이 '온통 흔들'리는 것이다.

때로는 인생길에서 캄캄한 밤 같은 상황과 마주할 때도 있다. 그 때 달맞이꽃이 시적주체를 위해 하는 일을 보라. 캄캄한 밤이 왔을 때에 달맞이꽃은 '불꽃속살의 노오란 수천의 꽃'들로 '마당바위에 모여' '달이 차오르기를 기다리고 있'다. 화려하지는 않지만 노랗고 환한 꽃빛으로 다소곳이 기다리는 달맞이꽃은 격정적이지는 않지만 달이 뜨면 달을 향해 잔잔하고 환한 꽃을 피울 것이다. 사실 어둠을 환하게 밝혀주는 일은 얼마나 격정적인가. 그래서 다른 어떤 꽃보다 달맞이꽃이 시적주제에게는 '더욱 격정적으로' 피는 꽃으로 다가오는 것이다.

탱자 다섯 알을 양 손에 쥐어준다
나눔의 비례가 불균형인줄 알았는데
모두 모은 손에 건네 보고 나니
그것은 탱자였다
사랑이었다
잿빛 하늘의 매서운 가을바람에
강아지풀 씨가 순식간에 흩어지는
구례에서 탱자는
땅에 떨어지기 전까지

지리산만 바라보고 있었다
첫눈이 내린 노고단을 본 것을 다행으로
땅에 떨어진 탱자
뚝뚝 눈물을 흘리지 않았다
덧칠한 낯을 부끄러워하지 않았다
그리워하던 지리산을 갈 수 있다는 탱자
그것은 탱자였다
사랑이었다
나눔의 미학美學이 살아있는 지리산
탱자가 품은 사랑이었다

-「탱자」 전문

「달맞이꽃」에서는 기다려야 할 때 인내로 기다려주고, 위로가 필요한 때 위로를 해주고, 캄캄한 밤에는 격정적으로 사랑해주는 달맞이꽃의 사랑법을 보여주었다면 「탱자」에서는 '나눔의 미학美學' 즉 나눔을 통한 사랑을 보여준다. 나눔 중에서도 탱자는 차별 없이 베푸는 사랑을 보여준다. 차별없는 사랑을 베푸는 것은 생태적인 마음이다. 시적주체가 '그것은 탱자였다 사랑이었다'라고 말하는 이유는 균등한 사랑을 베풀기 때문이다. 탱자는 지리산에서 매서운 가을바람을 견디고 누군가에게 균등한 사랑을 나누어주기 위해 떨어진다. 자신이 가지고 싶은 사랑을 놓았을 때라야 또 다른 누군가에게 자기를 나누어줄 수 있기 때문이다. 이것은 비움의 미학이다. 요컨대 위 시 「탱자」는 비움의 미학과 나눔의 미학을 실천하는 탱자의 사랑법을 보여주고 있다.

세상에는 불공평하다고 느껴지는 일이 많다. 본인의 선택과는 무관하게 태어난 환경부터 다르다. 지능도 다르고 능력도 다르며 특별한 경우가 아니면 만날 수 있는 사람들의 폭도 다르다. 그런 이유로 세상은 불공평하게 보인다. 똑같은 줄에 섰더라도 어떤 사람은 상품을 타고 어떤 사람은 빈손으로 되돌아가는 게 인생이다.

시적주체는 다섯 알만 건네받은 탱자를 다른 사람과 비교했을 때 불균형이라 생각을 했고 아쉬움이 남았다. 그런데 알고 보니 그것은 나눔의 미학으로 탱자가 시적주체에게 줄 수 있는 가장 최선의 것이었다. 탱자는 신이 아니고 탱자는 순수하게 '땅에 떨어지기 전까지 지리산만 바라보고 있었'던 사랑을 받고 싶은 존재였다. 지리산이 타자를 품에 안아주고 가진 것을 나누어주는 존재였고, 그런 지리산을 사랑하는 탱자 또한 나눔을 아는 존재가 되었다.

선망하거나 존경하는 마음으로 하는 사랑은 사랑의 대상을 올려다보는 것만으로 진실하고 행복하다. 그 선망하는 대상에게 사랑을 직접적으로 받을 때도 행복할 것이다. 그런데 탱자는 그것을 바라지는 않는다. '잿빛 하늘의 매서운 가을바람'이 불고 '강아지풀 씨가 순식간에 흩어지는' 날 땅에 떨어져 다시는 지리산을 볼 수 없는 처지가 와도 탱자는 지리산을 마음으로 사랑한다. 떨어진 탱자는 '첫눈이 내린 노고단을 본 것'만으로 다행으로 여기고 행복해한다. 탱자는 자신이 보고 싶은 사람의 사계절을 다 보고 마음속에 품었으니 떨어져도 '눈물을 흘리지 않'고 흙위에 떨어져 '덧칠한 낯을 부끄러워하지'도 않는 것이다.

그릇된 사랑의 소유욕으로 대상과 자신을 파괴시키는 사랑법도 있다. 탱자는 사랑하는 대상에 대해 자신이 누릴 수 있는 최소한의 사랑으로 만족하니 대상에 대한 그릇된 소유욕은 비워진 상태이다. 그리고 자신이 줄 수 있는 것을 공평하게 나누어주는 탱자는 '사랑이'고 '나눔의 미학美學'을 실천하면서 살아가는 존재이다. 이런 방법이 탱자의 사랑법이다.

겨울 지리산에는 하산당한 흔적들이 있다
피아골 대피소에서
다람쥐에게 이름을 붙여 함께 살았던 노부부
아들 녀석 어렸을 적
다람쥐에게 손을 내밀어 보라고 한다
"이름을 불러줘~ 이호야~"
지금은 별세한 지리산 호랑이 함태식 옹翁
영원히 하산당했다

지리산에 가면 여기저기 하산당한 흔적들이 있다
눈발이 날리는 악양들판
평사리 부부송夫婦松에 눈이 내린다
"국밥이 인생이다."
최참판댁 매표소 못 가 오른편 국밥집에는
늙은 투사의 노래를 부르는 부부가
옹기그릇 웃음으로 사람들을 반긴다
역시 하산당했다

특히 겨울 지리산은 하산당한 흔적들이 많다
의신슈퍼 김사장은 시인詩人이다
지리산을 노래하고
고향마을을 아름답게 시로 읊어내는
김시인 부인의 김치전은
하산당한 흔적의 단면이다
지리산을 품어보려 하지만
고래고래 떠밀려 하산당한 산사람들을
그저 바라보며 미소 짓는다

－「그 겨울, 지리산 사람들」 전문

지리산은 많은 사연을 품고 있다. 오랜 세월동안 많은 사람들이 지리산 품에 안겨 들었다. 지리산 아래 세상에서는 죽은 목숨이나 다름없었던 사람이 지리산에 깃들어서 살아났다. 폭력적인 세상의 위협에서 도망가 지리산 깊숙한 곳에 숨어들어 살아난 사람들도 있다. 지리산에 깃든다는 것은 성지에 깃든다는 것과 다름없다.

위 시는 지리산에서 하산당한 사람들을 이야기하고 있다. 사실 지리산이 사람들을 하산시킨 것이 아니다. 지리산은 늘 그대로 있고 사람들이 오고 가고 흔적을 남긴다. 하산을 시키는 것이 있다면 스스로이거나 다른 사람들이다. 시적주체가 영원히 하산을 당했다고 말하는 사람은 '지금은 별세한 지리산 호랑이 함태식 옹翁'이다. 함태식 옹은 오랜 시간 지리산에 공헌을 했으나 때가 되어 하산했다. 함태식은 여순사건과 6.25전쟁 등으로 황폐해진 지리산 등산로를 정비하고 새 등산로를 개척했던 사람이다. 함태식의 노력으로 지리산은 1967년 '국립공원 1호'로 지정되었다. 1971년에는 노고단 산장지기를 자처해 지리산 지킴이 생활을 했고 1988년 국립공원관리공단의 산장 현대화 정책에 따라 16년 생활을 '하산 선언문'으로 정리하고 피아골산장으로 내려온다. 그 후 24년 동안 지리산 지킴이 생활을 지속하다가 2009년 마지막으로 지리산에서 하산했다. 함태식은 하산하여 별세했지만 그의 족적은 지리산 생태를 소중히 여기는 사람들이 마음을 모아 이어가게 했다.

함태식이나 최참판댁 근처 늙은 투사의 노래를 부르는 부부나 시인인 의신슈퍼 김사장이나 지리산을 품어보려 지리산에 살았거나 살고 있는 사람들이다. 생명이 유한한 사람들은 언젠가는 지리산에서 하산할 것이다. 지리산은 그렇게 오고가는 사람들, 특히나 순정한 마음으로 지리산을 사랑하여 깃든 사람들로 인해 더욱 아름답다. 지리산은 늘 그 자리에서 그대로의 모습으로 사람들을 받아들이고 품어준다. 생태가 잘 보존되고 생태적으로 품이 넓은 지리산을 오늘도 오르내리는 평화로운 사람들을 보면 '미소'가 나올 법도 하지 않은가.

사려니숲길을 걸어 보아요
애기단풍과 당단풍에 취해 보아요
불그스레 취기가 올라오면
살짝 이덕구산전李德九山田으로 틀어 보아요
노을진 팽나무가 반겨줄 거에요
사각사각 산죽을 헤치고 가서
청동술상에 빈 잔을 채워 주세요
억울하고 분한 영혼들을 조금이라도 달래 주어요
사려니숲길을 걸어 보아요
자줏빛 작살나무 열매가
한 다발 화환으로 당신께 안길 거에요

– 「작살나무 사랑」 전문

신령스럽다는 의미를 가지고 있는 제주도 사려니숲은 경치도 아름답지만 제주 4.3사건과 관련된 역사적 현장이기도 하다. 신령스러운 숲 안에 민중들이 피를 흘렸던 흔적이 있는 것이다. 위 시의 시적주체는 청자에게 '보아요' '주어요' 등으로 청유하며 사려니 숲길로 이끈다.

먼저 '애기단풍과 당단풍에 취해 보아요'라며 아름다운 풍경에 취하게 한 다음 역사적인 장소를 안내한다. 이덕구산전李德九山田은 4.3 사건 때 최후의 인민유격대가 주둔했던 곳이며 유격대장 이덕구가 사살되었던 곳이다. 미군정과 우익 세력에 대한 반감과 1948년 남한단독선거에 대한 좌우대립 등의 문제로 남로당제주도위원회는 무장 투쟁을 시작했다. 이로 인해 많은 사상자가 발생했고 그 역사의 흔적이 사려니 아름다운 숲에 아픈 역사로 남아 있는 것이다.

시적주체에게는 사려니숲도 아름답지만 4. 3사건의 아픔이 더 크기에 '청동술상에 빈 잔을 채워' 달라고 하고 '억울하고 분한 영혼들을 조금이라도 달래' 주기를 바란다. 그러나 그 어조는 담담하다. 시적주체는 독자에게 '노을진 팽나무'도 보고 '사각사각 산죽을 헤치고' 사려니숲길을 계속 걸어 보라고 권한다. 그러다 어느 순간 사려니 숲의 아픔을 나누고 4.3사건으로 희생된 사람들을 위로할 수 있을 것이다. 역사에 대한 바른 인식을 가진 사람들에 의해 머리에 '자줏빛 작살나무 열매' 화환을 쓴 것같이 생태적으로 환하고 좋은 역사가 오지 않겠는가.

4.3 당시 들판이던 현장이 지금은 사려니숲으로 우거졌지만 역사적 사실이 사라진 것은 아니다. 아직도 그 상처는 곳곳에 흔적으로 남아있다. 과거 역사를 바르게 알고 잊지 않아야 한다. 그릇된 역사를 바르게 잡아가는 것이 이 시대를 사는 사람들이 할 일이기 때문이다. 과거의 역사를 바로 잡고 그 아픔을 치유했을 때라야 온전한 미래의 역사가 전개된다. 그런 의미에서 사려니숲이 안고 있는 역사적 상처들을 치유하고 작살나무 화환을 서로에게 씌워주며 참 역사를 열어가는 것이 우리가 할 일이다.

성찰의 시학

유종 시

몇 달째 앵무새가 가방에 갇혀 있었다
새의 부리가 녹슬어가고 있었다
검붉은 녹의 형상들이 모세혈관을 타고
그의 두상에 혀라는 문자를 새길 무렵

캄캄한 암흑 밑 새의 시조時鳥가 거죽을 찢고
거대한 부리로 혀를 물어뜯었다
새의 울음소리는 깃털사이에 핏물처럼
배어 있었다

그는 앵무새가 갇힌 가방의 작크를
조금 열어 볼 때가 있었다
그 때 그는 누군가
그의 방문을 잠그는 소리를 들었다
앵무새가 검푸른 산화의 입자들을 헤치고
눈의 형상을 집어 들자
보이는 모든 것들이 침묵하기 시작했다
새는 거기에 있었다

누구도 궁금하지 않았다

왜 앵무새는 가방에 갇혔는지 녹슬어 시조새를

깨웠는지 혀가 물어 뜯겼는지

부역자가 누구였는지

어젯밤 누가 제 목을 그었는지

- 「형상 1-앵무새인가」 전문

일반적으로 새는 자유를 상징한다. 아니 인간은 새를 자유롭다고 생각했다. 새는 인간에게 없는 날개를 가지고 하늘을 날아다니며 노래하기 때문이다. 인간은 기계의 힘을 빌리지 않고 스스로 하늘을 날 수 없다. 뿐만 아니라 정치적인 억압으로 목소리조차 내지 못 하는 경우도 있다. 사회 관습 및 제도 등에 눈치를 보느라 마음대로 노래할 수 없을 때도 많다.

거꾸로 새의 입장에서 보는 인간은 어떨까. 인간은 두 발로 직립 보행을 하면서 마음대로 다닌다. 손을 사용해서 다양한 도구를 만들어 문명을 발달시킨다. 인간에게는 지능이 있어 자유롭게 상상하고 창조하니 그 자체로 자유롭다. 결국 인간이 새를 자유라 말하고 부러워했던 것은 인간이 엄청난 능력을 가졌음에도 모든 것을 가지려는 과도한 욕망 때문이다. 또한 인간은 욕망을 채우기 위해 타자의 자유를 구속하거나 삶을 위협하기도 한다.

「형상 1-앵무새인가」는 인간이 자유라고 명명한 새에게 인간이 행한 행위에 집중할 필요가 있다. 위 시는 타자의 자유를 폭력적으로 제압하는 잔인한 인간의 면모를 보여준다. 뿐만 아니라 폭력 앞에서 무력하게 파괴되고 갇혀 있는 약자의 모습도 볼 수 있다. 그런데 왜 앵무새인가. 앵무새는 사람의 말을 따라하는 새이다. 앵무새는 말을 할 수 있는 능력이 있음에도 불구하고 사람이 시키는 대로 흉내만 내는 새이기 때문에 주체적 삶을 산다고 할 수 없다. 앵무새는 강자가 시키는 대로 조정당하며 사는 인간을 비유한 것이기도 하다.

위 시의 앵무새는 몇 달째 가방에 갇혀 있다. 여기에서 앵무새는 주특기인 말을 하지 못한다. 몇 달 후 '새의 부리가 녹슬어가고' '검붉은 녹'이 '혀라는 문자를 새길 무렵'에 어떤 현상이 벌어진다. '캄캄한 암흑' 밑에 잠들어 있던 '시조時鳥가 거죽을 찢'는다. 시조는 '거대한 부리로 혀'까지 물어뜯는다. 시조가 깨어난 이유는 앵무새에게 말을 하고 나는 능력이 있는데도 왜 갇힌 채 말 한마디 못하고 있냐고 새의 정체성을 일깨워주기 위해서다.

어떠한 억압에도 굴하지 않고 새는 노래하고 날 수 있어야 한다. 시조는 앵무새에게 억압의 쇠사슬을 끊고 노래하라고 말한다. 시조는 갇혀 있고 노래할 수 없는 상황인데 왜 대항하거나 싸우지 않고 녹만 쓸고 있느냐고 처절할 정도로 일깨운다. 그래서 '새의 울음소리는 깃털사이에 핏물처럼' 밴다.

이 시조가 암흑 속에서 깨어나 이토록 강렬하게 너 자신을 알라라고 외치게 된 것은 사실 앵무새가 자신의 모습을 조금이라도 인지하면서부터이다. '두상에 혀라는 문자를 새길 무렵'의 일이 있은 후의 일이기 때문이다. 조금의 희망이라도 있다는 것을 단지 어렴풋하게 인지할 정도로는 모순된 상황이 바뀌지 않는다. 확실하게 상황을 알고 자유를 추구해야 진정한 자유가 오는 것이다.

억압하는 자는 몇 개월 동안 갇혀 녹슬어감에도 아무런 신음소리마저 내지 않는 앵무새가 궁금할 법도 하다. 생명이 있더라도 억압 아래 침묵한다는 것은 죽어 있는 것과 별반 다르지 않다. 억압하는 자는 '앵무새가 갇힌 가방의 지퍼를 조금 열어' 본다. 그 때 '그의 방문을 잠그는 소리를' 듣게 된다. 억압하고 지키는 자도 사실은 더 큰 권력에 감시를 당하고 있었던 것이다. 앵무새나 앵무새를 억압하는 자나 층층 구조 속에서 더 큰 세력에 의해 감시를 당하고 있다. 앵무새는 가방을 탈출한다고 할지라도 방안에서 나갈 수 없다. 방문까지 잠겨버렸기 때문이다.

좁은 가방 어둠 속에 있었으니 앞을 보지 않아 눈마저 녹슬어 버렸던 앵무새는 가방이 열리자 '검푸른 산화의 입자들을 헤치고 눈의 형상을 집어' 든다. 눈에 보이는 것들을 제대로 보려는, 현실을 제대로 파악하려는 매서운 눈이 될 때 '보이는 모든 것들'이 '침묵하기 시작' 한다. 이제 새는 무엇 때문에 구속이 되었는지 제대로 보고 증언할 수 있는 자가 된다. 그래서 앵무새는 주체적인 새가 된다. 무언가 바로 볼 수 있을 때 존재의 참의미가 시작된다. 이제 '새는 거기에 있' 게 되는 것이다.

현실 세계는 이기적인 인간이 정치와 사회 전반에 부조리한 상황을 만든 사례가 즐비하다. 가장 큰 문제는 그 부조리한 상황의 피해자가 상황을 제대로 인지하지도 못 하고 바꾸려고 하지도 않는 것이다. 사실 부조리 상황에 처한 상태에 있는 사람은 무력하기 때문에 그 상황을 인지하더라도 벗어나기란 쉽지 않다.

당사자가 아니더라도 주위에서 그 부조리를 본 사람들이 관심을 가지고 부조리한 사회에서 벗어나도록 하기 위해 노력을 해야 한다. 이것이 생태적 삶이다. 그런데 부조리를 '누구도 궁금하지 않' 는 것이 큰 문제다. '왜 앵무새는 가방에 갇혔는지' 모두 관심이 없고 앵무새의 고통을 모른다. 억압당한 자가 녹슬어 죽어가는 고통 속에 있거나 존재성을 지키려고 울 때 누군가 깨어있어 듣고 도와주어야 한다. 그런 사회에는 부조리한 상황이 반복되지 않는다. 함께 모순된 현실을 바로 잡아야한다. 왜 '혀가 물어 뜯겼는지', '부역자가 누구였는지', '어젯밤 누가 제 목을 그었는지' 상황을 파악해야 한다. 그래야 인권도 존재도 존중받고 진정 자유로운 생태적 세상이 온다.

> 오십 개의 문을 열고 닫았다. 아니다 문이 저 홀로 열렸다가 닫혔다. 열리는 문과 닫히는 문소리가 소란스러워질수록 내 선택의 여지는 좁아지고 문득, 적막의 서랍이 조용히 닫히자 문의 형상은 바늘귀를 닮아갔다. 일곱 번째 문이 막 열렸을 때 은종의 여섯 번째 문은 열리지 않았고 대신 진달래만 글썽하게 피어졌다. 마흔여덟 번째 문이 열렸을 때 아버지의 발걸음을 기억하는 유일한 구체성의 문이, 어느 아침 소리 없이 닫혀 있었음을 어머니가 전언하였다. 그러는 사이에 내 주변을 어슬렁거렸던 몇 개의 문이 열리지 않는 순간도 있었고, 너무 오래 집을 비워 도둑이 슬쩍 다녀간 것과 서둘러 떠난 부음 몇을 놓치기도 하였다. 이제 오십 번째 문이 나를 열었다 내 소소한 일상들과 바람과 어둠의 관계가 명징해질수록 나는, 나를 좀 더 쉽게 부정할 수 있어 내 어깨는 가벼워지고 내 가슴은 조금씩 낡아가는 것을 알 수 있다. 이따금 이를 변증하는 불규칙한 통증이 찾아오기도 하는데, 그럴 때 마다 난 아주 먼 곳을 쳐다보는 습관이 생겼다. 자꾸 뒤돌아보는 버릇도 생겼다.

– 「문」 전문

공자가 말한 불혹에서 지천명 사이에 이르면 많은 사람들이 인생을 뒤돌아본다. 앞만 보고 달려왔다가 이 시기가 되면 회귀 본능이 일어난다. 어린 시절을 회상하고 고향 사람들과 학창시절을 떠올리고 다시 만나고 싶어 한다. 오십에 이른 위 시의 시적주체도 지나온 길들과 문들을 생각한다. 시적주체는 과거를 뒤돌아보고 성찰하며 그 속에서 삶의 의미를 깨닫는다. 하늘의 뜻을 알고 고개를 끄덕이기도 한다.

과거 장면들을 되짚어보면 문을 열고 닫음을 스스로 한 것 같지만 사실 상황이 행한 경우가 많다. '오십 개의 문을 열고 닫았' 던 것 같았지만

'문이 저 홀로 열렸다가 닫혔'을 만큼 실존이라는 것 앞에 인간은 무력하다. 때로는 의지와 상관없이 열린 문으로 떠밀려 들어가고 때로는 의지와 무관하게 저절로 문이 닫혀 버리는 경우도 있다. '열리는 문과 닫히는 문소리가 소란스러워질수록' 무력하게 '선택의 여지' 없이 상황에 의해 시적주체는 떠밀려 살아왔다. 무슨 문인지, 어떤 문으로 들어가는 것이 옳은 지, 문 앞에 왜 있는지 알 수 없을 때도 있다. '적막의 서랍이 조용히 닫'혀 버려서 다음 문으로 들어가 것이 마치 '바늘귀'로 들어가는 듯한 날도 있다.

시적주체는 자신이 문을 마음대로 할 수 없듯이 타인도 마음대로 하지 못하다가 때로는 문이 더 이상 열리지 않음도 목격한다. 가까운 사람들이 문을 여닫지 못하고 완전히 닫힌 문 안으로 들어간 경우 이별의 슬픔으로 '진달래만 글썽'이듯 운다. 어린 시절 충격적으로 본 죽음을 마흔여덟 번째 문이 열렸을 때 닫힌 아버지의 문을 통해 본다. 소중한 사람들의 부음을 놓치기도 하면서 자신의 문이 열리고 닫힘을 인식하지 못하고 낯선 문 앞에 서 있기도 하고 집을 못 지켜 삶의 중요한 부분을 잃기도 하는 것이 인생이다.

이제 시적주체는 불혹을 지나 지천명인 오십의 문을 열었다. 문의 의미를 알게 된 시적주체는 작은 일들에 연연해하지 않고 작은 일들에 흔들리지도 않는다. '소소한 일상들과 바람과 어둠의 관계가 명징'하게 인식하면서 스스로를 '더 쉽게 부정할 수 있'게 된다. 문이라는 것이 억지로 열려고 해서 열리는 것도, 억지로 닫으려고 해서 닫히는 것이 아님을 깨달았기 때문이다. 그러니 무겁게 느껴졌던 삶의 무게가 가벼워진다. '내어깨는 가벼워지'는 것을 알지만 그렇다고 한 때 문을 여닫느라 애를 쓰던 활기찬 열정은 없다. 그러니 마치 '조금씩 낡아가는 것'처럼 느낀다.

때로는 문을 마음대로 여닫을 수 없음에 '통증이 찾아오기도' 하지만 시적주체는 이미 끄덕일 수밖에 없다는 것을 안다. 그럴 때마다 다시 과거의 문들을 생각하며 현실을 긍정한다. '아주 먼 곳을 쳐다보'거나 '자꾸 뒤돌아보는 버릇'은 문에 대한 재성찰을 통해 마음을 다잡는 행위이다.

요컨대 시적주체는 과거를 돌아보면 문의 실체를 파악하고 문의 열고 닫힘이 삶에 어떤 영향을 주었고 어떤 의미였는지를 알아차린다. 문은 시적주체에게 어떻게 사는 것이 좋은 것인가의 방향을 제시해주는 거울이 된다. 그렇지만 무조건 순응하는 것은 아니다. 가끔 통증을 느끼기 때문이다. 그 통증은 어떻게 보면 인간이 주체적으로 삶을 영위하고자 하는 최소한의 권리이자 의무인지도 모른다. 그 통증이 조금이나마 주체적이고 창조적인 문에게 갈 수 있는 역할을 하기 때문이다.

　　방안에 휴대폰이 없다
　　금방 만지작거렸는데 안 보인다
　　며칠 전에는 차를 어디다 세웠는지
　　한참을 두리번거렸다

　　조금씩, 조금씩 그런다
　　아직 낯 선 곳을
　　서성거릴 정도는 아니지만
　　작년보다 비교적 그렇다

　　오늘 김남주 22주기에 다녀왔다
　　그가 모든 것들을 기억에서 지웠을 때
　　자그마한 체구로 감당하기 힘들었던
　　짐들을 이승에 부려 놓았을 때
　　그의 나이 마흔 여덟이었다

　　빈둥거리다 까먹은 해가 50개를 한참 넘었다

허기진 날들이었다
가끔 꿈속을 걷는 듯하지만
아직 견딜 만하다

김남주 시인에게 미안하다

– 「망각」 전문

위 시의 시적주체는 김남주 시인의 삶과 자신의 삶을 비교한다. 현재 시적주체는 김남주 시인이 죽은 나이를 훌쩍 넘었다. 먼저 김남주와 비교했을 때 시적주체는 어떤 삶을 살고 있는지를 반성한다. 김남주는 부당한 현실을 변화시키고자 시를 썼으나 투옥되었고 결국 일찍 죽었다. 그가 그렇게 죽고 난 후 세상은 얼마나 긍정적으로 바뀌었는가. 큰 결과보다는 서서히 전개되는 변화도 무서운 것이다. 시적주체는 본인 또한 시인으로서 김남주를 능가할 정도의 정신을 가졌는가를 반성한다.

시적주체는 금방 만지작거렸던 휴대폰이 어디에 있는지 기억하지 못한다. 며칠 전에 세워둔 차가 어디에 있는지 기억하지 못하고 '두리번거'린다. 이런 사소한 일들을 제대로 기억하지 못하고 살아가는 시적주체는 자괴감마저 느낀다. '낯선 곳을 서성거릴 정도는 아니'라 할지라도 조금씩 더 현실을 잘 살아내지 못하는 것 같아 마음이 불편하다.

희망을 노래하던 김남주 22주기에 다녀오는 길에 시적주체는 마음이 더 무겁다. 김남주 시인은 '자그마한 체구로 감당하기 힘들었던' 날들임에도 부딪혀 싸우고 난 후 '모든 것들을 기억에서 지'우고 이승을 떠났다. 그런데 김남주는 다 못 이룬 이승의 짐을 가져간 것이 아니라 이 땅에 부려 놓고 갔다. 그 짐은 당연 뒷 세대들의 몫이고 세대의 짐을 다음 세대로 넘겨주지 않도록 지금의 세대가 노력해야 한다. 그런데 현실은 어떤가. 시적주체는 빈둥거리면서 사소한 일들에도 기억력을 잃어가니 정작 이 시대의 짐은 누가 어떻게 짊어지고 해결할 것이다. 시적주체는 양심적이어서 미안해한다. '김남주 시인에게 미안하'다고 말하는 것은 사실 시적주체가 무엇을 기억하고 실천해야하는지 안다는 것이다. 위 시 「망각」은 우리가 기억해야할 현실적 문제들을 함께 짊어지고 나가서 살기 좋은 세상으로 만들어야 되지 않겠냐는 반성과 염원이 들어 있다.

백화장에서 이만 원어치 잠을 자다가
먼데서 들려오는 바람소리에 귀를 열었다가
다시 닫히는, 싸구려 꿈도 오지 않는 밤에
아랫도리를 걷어붙인 말들이 안간힘을 쓰는
아직은 초저녁
결국 아주 캄캄한 곳에서 시작되었을 것이라는
다시 아주 캄캄한 곳으로 갈 것이라는
한숨 섞인 눈물들을 나는 아주 잘 아는 척
꿀꺽 마시네

익숙한 발자국 소리에 묻혀 나가는 비린내
당신의 약속이 기껏 만 원짜리 지폐처럼 구겨지다니
아니다, 당신의 다짐이었구나
역전 모퉁이에서 손바닥만 하게 접혀
열차에 실려 가던 것들의 정체가
사막의 바람을 꿈꾸던 고래,
붉은 꽃이었다지만
공중전화 앞은 참 겸손하구나

짧은 밤처럼 기적소리는 왜소하다
충혈된 꿈들
너무 가벼운 말들이 저기
저기 ....

– 「백화장」 전문

위 시 「백화장」은 언어의 집을 짓는 시적주체의 괴로운 심정이 들어있다. 자신의 집도 아닌 백화장이라는 곳에서 잠을 자며 글로 작품을 쓰려고 하는 시적주체는 '먼데서 들려오는 바람소리에 귀를 열'어 보지만 이내 '다시 닫'혀 버려서 답답하다. 먼 것에서 불어오는 바람을 인식하는 것도 사실은 쉬운 일이 아니다. 집힐 듯 말 듯 한 언어들 때문에 싸구려 방에서 자는 사람처럼 '싸구려 꿈도 오지 않는 밤'이니 괴로운 것이다.

그럼에도 불구하고 시적주체는 언어와 씨름을 한다. 아직 확실한 윤곽을 드러내지 않는 말들은 '아랫도리를 걷어붙'이고 안간힘을 쓰고 있다. '아주 캄캄한 곳에서 시작되었을 것'이라는 눈물과 '아주 캄캄한 곳으로 갈 것'이라는 한숨 섞인 눈물에 대해 '아주 잘 아는 척' 허세도 부려본다. 자신이 정직한지는 자신이 가장 잘 아는 것이기에 그런 얇은 진술 앞에서 부끄러울 수밖에 없다.

이런 감정은 낯선 것이 아니다. 시적주체의 삶 속에서도 꽤 익숙하다. 작품을 만들려고 부단히도 몸부림치던 순간들 속에서 겪었던 익숙한 것이기도 하다. 그럼에도 좋은 작품을 만들겠다는 욕망이 앞서 깊이 있는 성찰 없이 뱉은 언어이기에 '설익'는다. 설익은 것을 '꿀꺽 삼'켜보지만 '비린내'가 묻어난다. 좋은 작품을 쓰겠다고 다짐했던 약속이 싸구려 이만 원짜리 방에서 거짓말을 부려 놓은 것 같다. 시적주체에게 소중했던 '약속이 기껏 만 원짜리 지폐처럼 구겨'진 듯 시적주체는 반성을 한다.

좋은 작품을 세상에 내보는 일은 쉽지 않다. '사막의 바람을 꿈꾸던 고래'처럼 '붉은 꽃'을 꿈꾸면 열차에 실려 보내지만 그 꿈은 쉽게 이루어지지 않는다. '짧은 밤처럼 기적소리는 왜소하'기 때문에 꿈들은 '충혈된'다. 그러나 여기저기 흩어져버린 '너무 가벼운 말들'은 오히려 '겸손하'다. 시적주체가 무엇이 문제인지를 알고 있고 괴로워하고 부끄러워하고 있기 때문이다. 위 시의 시적주체는 아직 공중전화 앞에서 사실을 인정하고 누군가와 소통하려는 겸손과 희망이 있다. '아직은 초저녁'이고 평화롭고 생태적인 세상을 꿈꾸고 진실한 작품을 쓰며 지새울 시간이 있다.

> 비린내가 낮차에 걸려왔다
> 매장되었던 말들이
> 구식 전화기 속에서
> 느릿느릿 걸어 나왔다
> 모든 죽음에선 비린내가 난다
> 예정된 행로였든 선을 이탈한
> 배신이었든
>
> 맹약은
> 새의 뼈처럼 쉽게 말라버릴 것이므로
> 약삭빠른 시간들은
> 굳이 배후를 캐지 않는다
> 당신의 영생은 유선 전화기 보다 촌스럽고 속말처럼 가벼웠던 것
> 그것은 비린내로 뭉쳐진 변명이었을 뿐
> 결말의 수순을 한 치도 벗어나지
> 못한 통속이었을 뿐
>
> 철없는 아이처럼 따라온 죽음의 파편이여 수화기를 들어 보고할 것이다
>
> 완료하였노라고
>
> – 「죽음에 관한 보고」

죽음은 도처에 가득하다. 비린내도 도처에 가득하다. 살아감이 죽음인 사람도 있고, 이미 죽었어도 살아 있는 사람이 있다. 죽었어도 살아있는

말들이 있고 살아있는데 죽은 말들도 있다. 진실인 듯 보이지만 거짓인 것도 있고 거짓이 진실일 수도 있다. 우리가 보는 사물의 외피는 결국 진실이 아니다. 그 진실을 일어내는 일을 시를 쓰는 사람들이 할 일이다.

위 시 「죽음에 관한 보고」는 거짓된 말들과 거짓된 약속에 대한 비판의식이 드러난다. 그것은 진실이 없지만 영원한 진실이라고 속이는 자들에 대한 경고와 위협의 형식을 취한다. 왜냐하면 그들이 했던 '맹약은 새의 뼈처럼 쉽게 말라버' 리므로 굳이 '약삭빠른' 거짓의 시간들에 대한 '배후를 캐' 묻는 것이 의미가 없기 때문이다. 시적주체는 이미 그들의 말에서 죽음의 '비린내'를 맡는다. 그들에게는 '예정된 행로'로 말을 하든 '선을 이탈한 배신'으로 실망을 시키든 비린내로 가득하다. 시적주체가 이렇게 단정하는 데는 '결말의 수순을 한 치도 벗어나지' 못하고 그동안 끊임없이 반복하여 이제는 '통속'이 되어버렸음을 알기 때문이다.

그럼에도 불구하고 당신은 거짓이고 배신인 맹약을 그것도 낮에 비린내를 풍기며 매장되었던 말들을 다시 내뱉는다. 아이러니한 상황이다. '당신의 영생은 유선 전화기보다 촌스럽고 속말처럼 가' 볍다는 것을 이미 다 아는 시적주체는 비린내 풍기는 말들을 '철없는 아이'로 표현한다. 그 말은 이미 '죽음의 파편'이다. 시적주체는 더 이상 이 상황을 견딜 수가 없어 세상을 향해 폭로할 것임을 예고한다. 비린내 나는 죽음으로 영생이라고 우기는 자에게 하나의 다른 죽음을 보고한다. 그 살해는 거짓 맹약을 향한 것이다. 그래서 비릿하지 않은 죽음 하나를 '완료하였' 노라고 말한다.

맺는 말

『작가』 출신 5인의 시를 살펴본 결과 도회적이거나 감각적인 것보다는 잔잔하면서 남도의 정서가 살아 있는 서정적인 시를 쓰고 있음을 알 수 있었다. 실제로 살고 있는 지역의 특성이 자연스럽게 시에 들어와 풍경을 만든다. 이러한 측면에서 『작가』 출신의 시인들이 남도의 대표 정서를 문학적으로 잘 형상화하고 있으면서 생태적 세상을 꿈꾸고 있음을 알 수 있다.

장진기 시인은 고향이면서 삶의 터전인 영광이라는 공간미학이 돋보이는 작품이다. 영광에서 유명한 불갑사와 꽃무릇 등을 소재로 사랑과 투쟁을 생태적으로 노래한다. 불갑사에서는 졸고 있는 까마귀 그림을 통해서 현상만이 아닌 그 안에 담긴 진실을 읽어내는 것이 중요함을 말해주고 있다. 꽃무릇을 소재로 한 시가 많은데 꽃무릇을 통해서 역사적으로 민중이 당한 고통을 꽃무릇의 붉은 핏빛으로 표현했다. 또한 꽃무릇은 강한 생명력으로도 표현된다. 붉은 빛의 핏빛 생명력과 곧게 올라오는 꽃대가 마치 봉기하는 민중을 연상하게 함도 살펴보았다.

송태웅의 시에서는 이별과 상실의식이 드러나며 그에 따르는 외로움과 소극적이나마 극복의지가 감각적 이미지와 함께 미적으로 드러난다.

나이 듦과 죽음에 대해서 담담한 시선으로 바라보되 세계에 대해서는 관찰자적 입장을 취한다. 송태웅 시인의 시에서 나타나는 관찰자적 입장은 방관자의 입장이 아니라 사실 상황을 있는 그대로 받아들이는 자세이다. 있는 그대로 받아들이는 것에 그치지 않고 여성성에 대한 시적지향을 보인다. 결국 사랑을 줄 수 있는 또는 모든 것을 품어주는 고향 즉 어머니로의 회귀 지향성을 보여준다. 부드럽고 따뜻한 삶을 추구하는 시인의 생태적인 마음을 모성성에 대한 비유를 통해 미적으로 표현했다.

김황흠 시인의 시는 농촌 풍경과 자연을 잔잔하게 바라보고 성찰하는 시선이 돋보인다. 시를 쓴다는 것은 풍경을 만드는 일이다. 관념조차도 이미지로 표현하는 것이 시다. 김황흠의 시에서는 들판과 강의 이미지를 섬세하게 회화적 기법으로 표현했다. 자연과 인간이 어우러져 있는 풍경을 묘사하여 진정으로 인간이 추구하고 실천해야 할 세계는 자연과 인간이 함께 어우러지는 생태적 세계임을 서정적으로 보여주었다. 세월호 사건을 소재로 우리가 잊지 말아야할 역사에 대한 의지도 보였다. 요컨대 김황흠의 시는 역사인식과 함께 자연과 인간이 어우러져 조화로운 세계를 서정적으로 보여준다.

양기창 시인의 시는 역사적 인물과 현실의 인물을 시에 직접적으로 등장시킨다. 인물뿐만 아니라 역사적 현장 등을 소재로 현실인식이 강한 시인의 시세계를 펼친다. 비유나 상징의 방식보다는 직접적으로 현장을 보여주면서 부정적 현실에 대한 경각심을 불러일으킨다. 또한 나눔이라는 사랑의 방식으로 인간애와 역사의 아픔을 노래한다. 지리산과 탱자로 나눔과 베품을 이야기하고 김시인의 삶을 보여주면서 역사적 고통을 나누고 새로운 삶을 꿈꾸었다. 사려니숲의 산책을 통해 역사를 바르게 알고 새로운 희망의 열매를 건네고자 했다. 요컨대 양기창의 시는 나눔을 통한 생태적 인간애가 역사의 아픔을 치유하고 재생하는 힘이 될 수 있음을 보여준다.

　유종의 시에서는 언어와 진실에 대한 투쟁과 성찰이 보인다. 현실과 이상 사이의 간극을 메우지 못하는 반성도 보인다. 문에 대한 성찰을 통해 과거를 돌아보면서 어떻게 사는 것이 옳은 것인가를 생각한다. 앵무새 등을 통해 주체적으로 삶을 영위하고자하는 의지도 보인다. 우리가 보는 사물의 외피가 결국 진실이 아님을 말하기도 한다. 유종의 시는 기억해야 할 현실적 문제들을 고민하고 생태적으로 좋은 세상을 만들고자 하는 반성과 염원도 드러난다.

　『작가』지 출신 5인 시인은 개성 있는 소재와 주제로 시세계를 펼치고 있다. 더불어 광주전남 『작가』지 출신답게 비판적 현실 인식과 더불어 좋은 세상을 염원하고 생태적인 좋은 세상으로 바꾸고자하는 의지를 공통적으로 보이고 있다.

　『작가』지는 그동안 많은 문인을 배출하였기에 5인의 시인을 분석하는 것만으로는 아쉬움이 남는다. 향후『작가』지 출신 시인 개별 작품에 대한 구체적이고 세밀한 분석이 더 필요하다. 뿐만 아니라 본 글의 5인 이외『작가』지 출신 시인의 작품 분석도 하여『작가』지 출신의 전반적인 작품 경향을 체계적으로 분석해볼 필요도 있다. 그런 과제를 남겨두고 본 글을 맺는다.

연경출판사 평론집

생태시학의 변주

석연경 2021

1판 1쇄 2021년 12월 22일

지은이 석연경
펴낸이 석연경
책임편집 김의길 | 디자인 석연경, 서푸른
인쇄처 송림그라픽스
펴낸곳 연경출판사
출판등록 2017년 3월 14일 제2017-000003호
주소 (57956) 전남 순천시 중앙2길 11-19
전자우편 wuju0219@naver.com | 대표전화 010-3638-6381
연경출판사 블로그 https://blog.naver.com/yklabartlove
ISBN 979-11-977661-0-7 03810

이 도서는 한국출판문화산업진흥원의 '2021년 출판콘텐츠 창작 지원 사업' 의 일환으로
국민체육진흥기금을 지원받아 제작되었습니다.